DÉLICES DE FRANCE

# VIANDES, VOLAILLE & GIBIER

DÉLICES DE FRANCE

# VIANDES, VOLAILLE & GIBIER

## À LA TABLE DES GRANDS CHEFS

KÖNEMANN

# Remerciements

Nous remercions les personnes et sociétés suivantes pour leur soutien :

Baccarat, Paris ; Champagne Veuve Clicquot Ponsardin, Reims ; Cristallerie de Hartzviller, Hartzviller ; Cristallerie Haute-Bretagne, Paris ; Établissements Depincé Laiteries Mont-Saint-Michel, Saint-Brice ; FCR Porcelaine Daniel Hechter, Paris ; Harraca/Roehl Design, Paris ; La Verrerie Durobor, Soigny (Belgique) ; Le Creuset Fonte Émaillée, Fresnoy-le-Grand ; Renoleau, Angoulême ; Maison Mossler Orfèvre Fabricant, Paris ; Manridal, Wasselonne ; Moulinex, Bagnolet ; Pavillon Christofle, Paris ; Porcelaine Lafarge-Limoges, Limoges ; Porcelaines Bernardaud, Limoges ; Porcelaines de Sologne et Créations Cacharel, Lamotte-Beuvron ; Porcelaines Raynaud, Limoges ; Rémy & Associés Distribution France, Levallois-Perret ; Robert Havilland et C. Parlon, Paris ; SCOF, St-Rémy-sur-Durolle ; Tupperware, Rueil-Malmaison ; Villeroy & Boch, Garges-lès-Gonesse ; Zanussi CLV Système, Torcy.

Difficulté des recettes :

★    très facile

★★    facile

★★★    difficile

Mise en page : mot.tiff, Paris
Révision : Thomas de Kayser
Lecture : Cécile Carrion
Fabrication : Ursula Schümer
Impression et reliure : Leefung Asco Printers Ltd., Hong Kong

Imprimé en Chine

ISBN : 3-8290-5278-2
10 9 8 7 6 5 4 3 2 1

# Sommaire

# Préface

La gastronomie représente un art de vivre, et elle s'insère indiscutablement aujourd'hui au nombre des valeurs culturelles essentielles. Elle constitue de surcroît un lien entre les hommes de bonne volonté, une façon de vivre harmonieusement ensemble, et manifeste ainsi un degré de civilisation particulièrement évoluée. De sorte que les nappes blanches, symboles de paix, sont de ce fait préférables aux tapis verts des conférences internationales.

Rabelais l'avait bien compris, qui écrivait dans Pantagruel : « Tout homme d'esprit qui construit commence d'abord par bâtir la cuisine… » Quant à Talleyrand, on se souvient de sa réflexion au roi Louis XVIII lors de son départ pour le Congrès de Vienne, en 1815 : « Sire, j'ai davantage besoin de casseroles que d'instructions écrites… »

C'est pourquoi je me réjouis de la publication de cette Encyclopédie gastronomique où les meilleurs se tendent une main fraternelle pour la meilleure des causes.

En ce monumental ouvrage, en effet, sont réunis une centaine de virtuoses des métiers de bouche, issus de toutes les régions et de toutes les disciplines, qu'il s'agisse des Meilleurs Ouvriers de France, des Maîtres Cuisiniers, des Restauratrices Cuisinières, des Jeunes Restaurateurs et, bien entendu, des représentants distingués des professions auxquelles le prestige français doit tant d'éclat : Pâtissiers, Boulangers, Confiseurs, Chocolatiers, Glaciers, Fromagers, Sommeliers, Barmen… Tous déjà célèbres, ou en voie de le devenir. Soit une œuvre édifiante, dont il importe de souligner la valeur profonde, d'autant qu'elle s'adresse avec le même intérêt à la ménagère, aux curieux et au gourmet éclairé.

*Roger Roucou*
Président des Maîtres
Cuisiniers de France.

# Le message
# des chefs

C'est la première fois sans doute que pareille chance nous était donnée de nous retrouver si nombreux pour célébrer tous ensemble la beauté de la gastronomie française. Elle est aimée dans le monde entier, et nous qui chaque jour la servons avec passion dans toutes nos régions, nous clamons qu'ambassadrice du bonheur elle est aussi l'une des fiertés de notre patrimoine. Professionnels des métiers de bouche, amis de la cuisine, amoureux du bien-manger, nous voilà enfin réunis pour cette extraordinaire fête de la table où, pour notre plaisir, seront convoquées les délices de France.

C'est véritablement une grande première de pouvoir à la fois inscrire notre savoir professionnel, afin d'enrichir et de perpétuer la science de notre art, et transmettre à chacun les mille et un secrets de notre métier pour qu'ils viennent illuminer chacun de vos foyers. Luxe des bons vivants, l'art gastronomique n'est plus un privilège réservé aux seuls habitués des meilleurs restaurants. Avec *Délices de France*, voici qu'il entre dans vos maisons pour faire chanter vos quotidiens, du plus simple au plus somptueux.

Dégustons ensemble les charmes de la tradition et de la nouveauté, du terroir et de l'exotisme. Laissons-nous surprendre, laissons-nous aimer, écoutons ces confidences de bouche et allons porter la nouvelle : la grande cuisine renoue enfin avec sa vocation profonde... Chaleureuse et colorée, simple et légère, sobre ou exubérante, elle est riche et généreuse. Bruissante de la multiplicité de nos accents, vibrante de toutes nos émotions, elle va vous entraîner en un voyage gourmand dans l'espace et dans le temps.

Attentifs au moindre détail afin de vous faciliter la tâche, nous nous sommes efforcés de vous donner une approche honnête et vraie de la cuisine qui allie beau et bon, plaisir de cuisiner et bonheur de goûter. Vous allez découvrir vos talents ignorés et perfectionner ceux que vous possédez, et, parfaits cordons-bleus, vous ferez alors avec du quotidien de l'extraordinaire et de vos réceptions des galas d'exception.

Conviviale par excellence, la cuisine participera fidèlement à tous les grands moments de votre vie, car c'est toujours autour d'une table que s'épanouissent les joies et que s'aplanissent les différends.

Nous sommes heureux de vous offrir le meilleur de nos cartes que vous pourrez à votre tour présenter à domicile à ceux que vous aimez. Nous espérons que vous aurez autant de plaisir à réaliser nos recettes que nous en avons eu nous-mêmes à les créer pour vous, dans ce « laboratoire culinaire » où rire et bonne humeur ont été les ingrédients les plus précieux de toutes nos réussites.

Puisse ce message sans frontière de *Délices de France* faire demain le tour du monde, pour aider au rapprochement des cultures, adoucir les mœurs et donner le goût de la vie, en répandant partout la saveur du génie français.

Délicieusement vôtres
Les chefs de *Délices de France*

# Pigeons ramiers

1. Nettoyez, flambez et videz les pigeons. Salez et poivrez. Bardez-les. Réservez les cœurs, les foies et les gésiers. Dans une plaque, faites rôtir les pigeons avec un peu d'huile et du beurre. Retirez-les ensuite à mi-cuisson.

**Ingrédients :**
3 pigeons ramiers
3 bardes de lard
100 g de beurre
2 cuil. à soupe d'huile
3 échalotes
30 ml de vin rouge
2 gousses d'ail
1 bouquet garni
1 cuil. à soupe de
  concentré de tomates
1 cube de fond de veau
100 ml de banyuls
6 tranches de pain de mie
sel, poivre

**Pour 3 personnes**
**Temps de préparation :** 35 mn
**Temps de cuisson :** 40 mn
**Boisson conseillée :** corbières rouge
**Difficulté :** ★★

2. Levez les filets des pigeons. Retirez les cuisses et réservez-les sur un plat de service. Dans un mixeur, broyer l'ensemble des carcasses de pigeons.

Le salmis serait l'abréviation du beau nom de « salmigondis » que l'on trouve déjà chez Rabelais et qui, au sens strictement culinaire, désigne un ragoût de gibier, de bécasse en particulier. C'est dire qu'une fois encore nous pénétrons dans la gastronomie ancienne qui fit le bonheur et la réputation des plus grandes tables.

Achetez des pigeons déjà plumés… Vous n'y perdrez rien et vous vous simplifierez la tâche.

La barde est importante car elle protège la chair du pigeon de l'agression de la cuisson. Grâce à cette protection bien grasse, elle gardera tout son moelleux.

Et pour que la réussite soit complète, optez pour une cuisson rosée. N'oubliez pas de demander à votre volailler de vous réserver les cœurs, les foies et les gésiers qui, incorporés à votre sauce, lui donneront une saveur sans pareille. Il serait trop dommage de vous en priver.

Pintades, perdreaux ou faisans peuvent agréablement remplacer les pigeons, donnant ainsi à cette recette un éventail plus large de possibilités.

Ce plat se réchauffe sans problème et sans rien perdre de son goût. Servez avec une délicieuse mousse de céleri rave, de jolies pommes soufflées bien dorées.

Notre sommelier vous propose un corbières rouge. Observez et admirez la merveilleuse robe de ce vin d'un rouge sombre et profond.

3. Hachez finement les échalotes. Dans une cocotte, faites revenir les échalotes avec un peu de beurre. Versez le vin rouge. Laissez cuire quelques instants à feu doux.

4. Incorporez les carcasses de pigeons pilées, l'ail haché, le bouquet garni, le concentré de tomates et le cube de fond de veau délayé dans 500 ml d'eau. Ajoutez les cœurs, les foies et les gésiers de pigeons préalablement mixés. Salez, poivrez et laissez cuire 20 mn environ à feu doux.

# en salmis

5. Arrosez les pigeons avec le banyuls. Une fois la sauce cuite, passez-la au chinois et laissez-la réduire légèrement. Rectifiez l'assaisonnement. Taillez le pain de mie en triangles et faites griller.

6. Versez le fond sur les pigeons. Laissez cuire 20 mn environ au four. Passez la sauce. Montez-la au beurre. Nappez les pigeons et servez accompagné des croûtons de pain grillé.

# Daube de ma grand-

**Ingrédients :**
1,5 kg de bœuf
1 pied de veau
quelques couennes
100 g de lard
1 bouquet garni
4 oignons
2 carottes
4 gousses d'ail
1 zeste d'orange
50 ml d'huile d'olive
3 clous de girofle
750 ml de vin rouge
sel, poivre

**Pour 6 personnes**
**Temps de préparation :** 20 mn
**Temps de cuisson :** 2 h
**Boisson conseillée :** minervois
**Difficulté : ★**

1. Taillez la viande en gros cubes de 3 à 4 cm de côté. Fendez le pied de veau et désossez-en une partie. Coupez le lard en dés. Émincez la couenne et confectionnez un bouquet garni.

2. Épluchez les oignons et les carottes. Taillez-les en brunoise. Écrasez l'ail et prélevez le zeste d'une orange.

Les recettes de grand-mère vieillissent bien, comme le bon vin. Nicolas Albano connaît la vertu de la tradition, mitonnée de génération en génération et qui se bonifie avec le temps. Il vous livre ici un secret de famille, plein d'amour et de tendresse, qui saura colorer vos repas aux saisons grises.

Réchauffé, ce plat gagnera en saveurs et parfums. N'hésitez pas à le préparer la veille. Un dernier petit conseil pour la préparation de cette succulente daube, faites colorer les morceaux de bœuf avant de mettre le vin : la viande ainsi saisie se tiendra mieux à la cuisson. Et puisque le vin que vous allez utiliser doit être très corsé pour donner plus de goût à la viande, pourquoi ne pas employer un fitou ? C'est un vin régional qui convient à merveille et qui donnera à la sauce son accent du pays.

C'est dans les vieux pots, dit-on, que l'on fait les meilleures soupes, et c'est parmi les anciennes recettes que l'on retrouve les plaisirs les plus grands.

Accompagné d'un gratin de pâtes ou de polenta, qui est le nom local de la semoule de maïs, ce plat sera au plus haut niveau de la gastronomie méditerranéenne.

Simple à réaliser, il a cependant la majesté des grands mets historiques. Embelli par le long et patient travail du temps, ce plat familial participera à toutes vos réunions tendresse.

Découvrez ou faites découvrir un bon vin rouge, bien vinifié, un minervois (domaine de Sainte-Eulalie).

3. Portez 2 casseroles d'eau à ébullition et faites blanchir séparément les dés de lard gras et la couenne.

4. Dans une cocotte, faites revenir les dés de lard, les oignons, les carottes, l'ail, le bouquet garni avec l'huile d'olive et ajoutez le zeste d'orange, les clous de girofle et la couenne préalablement blanchie.

# mère Ascunda

5. Ajoutez maintenant les légumes, le pied de veau et la viande de bœuf. Laissez revenir l'ensemble.

6. Versez le vin rouge. Salez, poivrez et recouvrez à hauteur avec de l'eau. Laissez cuire à feu doux et à couvert pendant deux bonnes heures. Servez chaud.

# Paupiettes de veau

1. Épluchez l'ail et les échalotes. Hachez-les ainsi que le persil. Nettoyez les champignons de Paris et coupez-les en petits dés que vous incorporez dans la chair à saucisse, avec l'ail, le persil et les échalotes. Mélangez bien l'ensemble.

2. Aplatissez légèrement les petites escalopes. Ajoutez l'œuf à la farce et déposez 1 cuil. à soupe de farce sur les escalopes. Roulez les paupiettes et ficelez-les.

**Ingrédients :**

12 escalopes de veau
  de 60 g
200 g de chair à saucisse
3 gousses d'ail
3 échalotes
persil
1 œuf
10 cuil. à soupe d'huile
  d'olive
1 cube de fond de veau
200 ml de vin blanc sec
1 feuille de laurier
200 g de champignons
  de Paris
100 ml de crème fraîche
100 g de beurre
500 g de pâtes fraîches
  vertes
sel, poivre

**Pour 6 personnes**
**Temps de préparation : 1 h**
**Temps de cuisson : 40 mn**
**Boisson conseillée :** gamay de Touraine
**Difficulté : ★★**

Voilà un apprêt ancien, vous le connaissez bien. Il a fait ses preuves depuis longtemps et vous êtes assurée de choisir un mets délicat aux anciennes lettres de noblesse.

Étroitement ficelées, remplies et dodues à souhait, les paupiettes ont été surnommées, justement à cause de leur apparence, « oiseaux sans tête ». C'est peut-être sous ce nom que vous les connaissiez. Il est important que les escalopes soient très fines. Si vous ne disposez pas d'une batte pour les aplatir, demandez à votre boucher de le faire pour vous. Les paupiettes doivent être bien ficelées pour que la farce ne s'échappe pas en cours de cuisson. Faites-les colorer, à feu vif, pour bien saisir la viande. Portez votre choix, pour l'accompagnement, sur des épinards, toujours bienvenus, ou, si vous préférez une note plus classique, sur un risotto au safran.

Servez ce plat très chaud. Il ne craint pas d'être réchauffé mais, dans ce cas, réchauffez les paupiettes dans la sauce en ajoutant un peu d'eau et en laissant étuver à feu très doux. Que ces délicieux petits « oiseaux » vous mettent à l'aise, ils vous conduisent en pays sûr. Vos invités se régaleront et les amis très importants que votre mari voudrait séduire seront particulièrement touchés par votre délicate attention.

Le cépage gamay, lorsqu'il est bien vinifié, produit des vins rouges pleins de fruit et de charme qui savent mettre en valeur la viande de veau. Débouchez et dégustez un gamay de Touraine (domaine de la Charmoise).

3. Dans une poêle, faites revenir les paupiettes préalablement salées et poivrées avec un peu d'huile.

4. Versez le vin blanc sur les paupiettes, ainsi que le cube de fond de veau délayé dans 150 ml d'eau, 1 feuille de laurier, et laissez cuire à couvert pendant 20 mn environ.

Nicolas Albano

# aux pâtes vertes

5. Incorporez la crème fraîche aux paupiettes. Laissez prendre une légère ébullition. Décantez les paupiettes, retirez les ficelles et réservez les paupiettes au chaud. Passez la sauce au chinois. Faites-la légèrement réduire. Montez-la au beurre et réservez-la.

6. Dans une cocotte d'eau salée, faites cuire les pâtes vertes. Égouttez-les. Passez-les dans le beurre, dressez-les sur le plat de service, déposez les paupiettes sur les pâtes et servez accompagné de sauce bien chaude.

# Cuisses de lapereau à

1. Faites revenir les cuisses de lapereau avec 1 cuil. à soupe de beurre et 2 cuil. d'huile. Coupez les oignons et les carottes en brunoise, puis laissez revenir avec le lapin. Incorporez le bouquet garni, puis badigeonnez le lapin avec la moutarde. Salez et poivrez.

2. Versez le vin blanc sur la préparation, puis incorporez le cube de fond de veau délayé dans 100 ml d'eau. Ajoutez l'ail en chemise, et laissez cuire une vingtaine de minutes à four moyen.

**Ingrédients :**
4 cuisses de lapereau
100 g de beurre
2 cuil. à soupe d'huile
50 g d'oignons
50 g de carottes
1 bouquet garni
1 cuil. à soupe de moutarde
100 ml de vin blanc
1 petit cube de fond de veau
1 tête d'ail
70 g de pain de mie
100 ml de lait
8 têtes de champignons de Paris
100 g de jambon blanc
1 œuf, 4 petites tomates
1 courgette moyenne
4 oignons frais
sel, poivre

**Pour 4 personnes**
**Temps de préparation :** 50 mn
**Temps de cuisson :** 55 mn
**Boisson conseillée :** saint-romain rouge
**Difficulté :** ★★

Au pays des merveilles gastronomiques, un lapereau à l'ail en chemise n'étonnera personne !

Des cuisses de poulet de Bresse pourront remplacer le lapereau, si vous en préférez le goût.

Délayez la moutarde dans un peu d'eau avant d'en badigeonner le lapereau, ainsi elle ne dénaturera pas le goût de votre plat. Ajoutez l'œuf hors du feu car il ne doit pas cuire et beurrez légèrement le fond de la cocotte afin que les légumes farcis n'attachent pas.

Cette recette est simple, mais attention à la cuisson : le lapereau trop cuit perd en qualité et en saveur.

Ce plat se sert très chaud. Le lapereau peut se conserver 3 jours au réfrigérateur mais pas les petits farcis que vous pourrez, en revanche, servir froid le lendemain, agrémentés d'un coulis de tomate.

Pour un dîner campagnard entre amis, une idée sympathique et chaleureuse.

Le sommelier vous propose de rester en Bourgogne où lapereau et moutarde nous ont déjà conviés et, pour continuer l'aventure, il vous suggère de découvrir un vin malheureusement méconnu : le saint-romain rouge.

3. Retirez le lapereau de la plaque de cuisson. Disposez-le sur le plat de service et réservez au chaud. Passez le jus au chinois, portez-le à ébullition, puis montez-le au beurre. Rectifiez l'assaisonnement si nécessaire et récupérez vos gousses d'ail en chemise.

4. Trempez le pain de mie dans le lait. Épluchez, puis hachez finement 4 têtes de champignons, le jambon blanc et quelques échalotes. Faites revenir les échalotes dans du beurre, incorporez les champignons, le jambon et le pain de mie et laissez cuire à feu doux.

# l'ail en chemise

5. Salez et poivrez légèrement la préparation, incorporez l'œuf, remuez énergiquement et retirez du feu. Coupez la tête des tomates, des courgettes, des oignons et du reste des champignons. Évidez-les.

6. Garnissez les légumes de la farce, replacez les têtes des légumes et faites cuire 15 mn à four moyen dans un plat beurré. Servez le tout très chaud, accompagné des cuisses de lapereau nappées de leur sauce, décorez avec les gousses d'ail en chemise.

# Fricassée d'ailerons

1. Coupez l'extrémité des ailerons de volaille et troussez la chair vers le bas.

**Ingrédients :**
16 ailerons de volaille
2 échalotes
100 g de beurre
500 ml de vin rouge
4 poireaux
4 cuil. à soupe d'huile
sel, poivre

**Pour 4 personnes**
**Temps de préparation :** 35 mn
**Temps de cuisson :** 30 mn
**Boisson conseillée :** saint-romain rouge
**Difficulté :** ★★

2. Hachez les échalotes et faites-les revenir dans une casserole avec un peu de beurre. Versez le vin rouge et laissez cuire la sauce à feu doux. Salez et poivrez.

Le joli mot de « fricassé » désignait au XVIIᵉ siècle un apprêt courant et peu distingué. Devenu par la suite « fricot » dans le langage populaire, il signifiait « mets préparé grossièrement dans un bouillon ». Aujourd'hui, la fricassée est le mode de préparation d'une viande que l'on prend soin de dorer et d'agrémenter afin de lui donner toute sa saveur. La fricassée d'ailerons de volaille est là pour en témoigner.

La technique de cette préparation vous semblera peut-être compliquée. En fait, il s'agit seulement de bien gratter l'os et de repousser la chair vers la base de l'os.

Les ailerons sont vendus au détail. Vous les trouverez toute l'année. Une variante sympathique consiste à les remplacer par des morceaux de ris de veau.

Émincez les poireaux très fins et surveillez la cuisson car elle est très rapide, si vous voulez les conserver croquants. N'oubliez pas de saler l'eau bouillante afin de garder aux poireaux leur vert tendre et toute la chlorophylle.

Le secret d'une sauce réussie est une réduction parfaite. Soyez donc patiente et ne hâtez pas cette étape. Le vin doit réduire aux trois quarts. Il perdra son acidité, ce qui est important pour le goût. Ce plat facile à réaliser peut être accompagné d'épinards en branches. Joyeux compagnon, il sera de toutes les occasions qui réunissent autour d'une même table les appétits généreux.

Notre sommelier vous conseille un saint-romain rouge. Le fruité et la vigueur de ce vin de la côte de Beaune étonneront vos amis.

3. Coupez les poireaux en fine julienne. Portez une casserole d'eau à ébullition, faites blanchir les poireaux et conservez-les très croquants. Rafraîchissez-les et réservez-les.

4. Passez la sauce de vin rouge au chinois. Rectifiez l'assaisonnement si nécessaire. Montez la sauce au beurre et réservez-la.

# de volaille

5. Dans une poêle, poêlez les ailerons de volaille avec de l'huile. Salez, poivrez et faites-les cuire à feu doux en les retournant de temps à autre.

6. Faites revenir la julienne de poireaux au beurre. Salez et poivrez. Disposez-la au centre du plat et entourez-la des ailerons de volaille. Nappez de sauce et servez.

# Jambonnette

1. Désossez les cuisses de poulet et prélevez un morceau de chair en conservant la peau sur le pilon.

**Ingrédients :**
4 cuisses de poulet
2 échalotes
100 g de beurre
1 tranche de jambon
  blanc épaisse
3 foies de volaille
1 carotte
1 branche de céleri
250 ml de crème fraîche
1 cube de fond de volaille
50 ml de noilly prat
1 bouquet de ciboulette
1 pincée de paprika
sel, poivre

**Pour 4 personnes**
**Temps de préparation :** 25 mn
**Temps de cuisson :** 35 mn
**Boisson conseillée :** moulin-à-vent
**Difficulté :** ★★

2. Épluchez les échalotes et hachez-les finement. Faites-les tomber dans une casserole contenant un peu de beurre. Hachez le jambon, les foies de volaille et coupez la chair du poulet en petits dés.

C'est la forme que vous allez donner à la volaille qui justifie le nom chantant de cette recette dont la simplicité n'a d'égale que la tendresse raffinée.
Les gourmets qui sont des fins gourmands seront tentés par ce plat savoureux. Quelle que soit la période de l'année, cette merveille conviendra à vos menus. Le coup de cœur que vous aurez pour elle vous la fera classer parmi vos recettes privilégiées.
Jean-Pierre Billoux vous recommande de vous procurer les cuisses de volaille chez votre volailler, car maintenant on trouve facilement de la volaille au détail.
Respectez bien les proportions de la farce, il y va de la saveur du plat fini.
Les jambonnettes se servent chaudes ou encore froides, avec une salade de haricots verts.
Un ragoût d'artichauts sera également délicieux ou, mieux, une fricassée de champignons sauvages.
Ce sympathique plat sort de l'ordinaire et fera de vos repas familiaux des moments exceptionnels.
La chair tendre et voluptueuse des volailles aime l'acidité généreuse des beaujolais. Notre sommelier vous conseille donc un moulin-à-vent.

3. Épluchez la carotte, taillez-la, ainsi que le céleri, en fine brunoise et incorporez celle-ci aux échalotes.

4. Ajoutez 125 ml de crème fraîche. Laissez réduire puis ajoutez le poulet, le jambon et les foies hachés. Salez et poivrez. Laissez cuire à feu doux.

# de volaille

5. Une fois la farce refroidie, farcissez les cuisses de volaille. Repliez la chair sur la farce et ficelez-la.

6. Faites cuire les cuisses de volaille à la vapeur (15 à 20 mn). Délayez le cube de fond de volaille dans 500 ml d'eau. Laissez réduire de moitié. Incorporez le noilly prat, le reste de la crème fraîche et laissez épaissir. Montez la sauce au beurre. Dressez les cuisses de poulet. Nappez-les de la sauce, saupoudrez de ciboulette, d'une pointe de paprika.

# Pigeonneaux pochés

**Ingrédients :**
4 pigeons
1 cube de fond de volaille
1 lobe de foie gras
  de canard frais
1 botte d'oignons
  nouveaux
80 g de beurre
1 cuil. à café de sucre
1 bouquet de ciboulette
1 citron
sel, poivre

1. Nettoyez soigneusement les pigeons. Videz-les et ficelez-les. Portez une marmite d'eau à ébullition et faites dissoudre le cube de fond de volaille. Pochez les pigeons dans ce fond. En fin de cuisson, poêlez le foie gras de canard enveloppé dans une étamine, pendant 2 mn. Retirez-le, puis réservez-le.

**Pour 4 personnes**
**Temps de préparation :** 40 mn
**Temps de cuisson :** 45 mn
**Boisson conseillée :** savigny-lès-beaune
**Difficulté :** ★★

Fines herbes aux fleurs solitaires, la ciboulette ou civette est connue dans nos campagnes sous le nom évocateur d'« appétit ».
Sous la Renaissance, elle fut utilisée comme plante médicinale, car on lui prêtait la vertu de soigner les hémorroïdes… Cette herbe qui fait chanter nos jardins était aussi connue des Grecs. Athéna, célèbre pour sa grande sagesse, la cite parmi les condiments dont un cuisinier digne de ce nom ne saurait se passer. C'est sans doute pour cette raison qu'aujourd'hui, elle est fort recherchée en cuisine, surtout pour parfumer les sauces vertes.
Jean-Pierre Billoux vous conseille, lors de l'achat des pigeonneaux, de les choisir avec grand soin. Ils doivent avoir le plumage soyeux et l'œil encore vif.
La pintade peut vous apporter une agréable variante, et elle est plus facile à trouver toute l'année.
Les cuissons de la volaille et du foie gras doivent être rigoureusement exactes.
Pour qu'elle reste bien verte et n'ait pas le temps de jaunir, préparez la sauce ciboulette juste avant de servir. Vous pouvez également accompagner ce plat de carottes nouvelles, savoureuses et croquantes, dont la couleur chaude rehaussera la teinte fraîche de votre sauce.
Dégustez un savigny-lès-beaune. Vous verrez que les arômes de petits fruits rouges de ce vin sont exceptionnels.

2. Épluchez les petits oignons. Déposez une casserole sur le feu avec 1 cuil. à café de beurre. Faites rissoler les oignons. Incorporez le sucre. Versez 200 ml d'eau et laissez cuire à feu doux. Salez et poivrez.

3. Passez la ciboulette et le beurre au mixeur, afin d'obtenir un beurre de ciboulette et émulsionnez bien l'ensemble.

4. Passez la moitié du jus de cuisson des pigeons au chinois dans une casserole. Faites réduire de moitié et montez-le avec le beurre de ciboulette. Fouettez bien l'ensemble. Versez le jus de citron et donnez un tour d'ébullition.

# sauce ciboulette

5. Passez la préparation au chinois. Rectifiez l'assaisonnement si nécessaire. Réservez et ne laissez plus bouillir. Coupez les pigeons en quatre. Retirez la peau.

6. Désossez les pigeons et dressez-les sur le plat de service. Escalopez le foie gras de canard. Déposez-le avec les pigeons, ainsi que les oignons confits. Nappez le tout de sauce et servez.

# Compote de poireaux

**Ingrédients :**

1 poule de 1,5 kg
  environ
ou deux blancs
  de volaille
200 g de carottes
1 oignon
3 gousses d'ail
1 bouquet garni
8 poireaux
250 ml de crème fraîche
sel, poivre

1. Nettoyez correctement la poule, videz-la, flambez-la et bridez-la. Dans une cocotte d'eau, mettez les carottes, l'oignon, les gousses d'ail, le bouquet garni, le sel, le poivre et faites pocher la poule à feu doux durant une bonne heure.

**Pour 4 personnes**
**Temps de préparation :** 20 mn
**Temps de cuisson :** 1 h 20
**Boisson conseillée :** savennières
**Difficulté : ★**

Les vraies cuisinières ont l'art d'accommoder les restes. Aussi, cette recette, quelle aubaine ! Ce gratin de poireaux permet toutes les libertés. En effet, vous pourrez ajouter du jambon blanc, un reste de pot-au-feu, des moules, du saumon fumé… Et n'oubliez pas que le poireau est riche en fibres et reconnu pour son action diurétique.

Les poireaux fondent, sans aucun besoin de gras. Il vous suffit de les couvrir d'un papier d'aluminium, pour qu'ils cuisent à l'étuvée. Attention ! Ils ne doivent pas colorer, ils deviendraient âcres et donneraient de l'amertume à votre plat. Faites-les cuire à feu très doux, une dizaine de minutes seulement.

La cuisson de la poule est un peu plus longue. Elle peut être faite la veille.

Cette recette, aussi originale qu'économique, est un vrai régal. Toutes les occasions sont bonnes pour la préparer et faire plaisir à vos hôtes.

Notre sommelier vous conseille un savennières. La finesse délicate et tendre de ce vin blanc d'Anjou conviendra parfaitement au côté végétal de ce plat.

2. Émincez très finement les poireaux, salez-les et laissez-les étuver. En milieu de cuisson, incorporez la crème fraîche et laissez de nouveau étuver à feu doux.

3. Lorsque la poule est cuite, prélevez les suprêmes (filets).

4. Escalopez finement les suprêmes de volaille et concassez le reste en petits morceaux.

# aux blancs de poule

5. Ajoutez les dés de blancs aux poireaux, remuez bien, rectifiez l'assaisonnement et laissez de nouveau cuire 5 à 10 mn.

6. Au moment de servir, dressez en portions individuelles ou dans un grand plat, surmontez des suprêmes de volaille émincés, d'1 cuil. à soupe de crème fraîche, faites gratiner 5 à 6 mn au four et servez bien chaud.

# Jarret de veau

**Ingrédients :**
1 jarret de veau
  de 1 kg environ
2 cuil. à soupe de farine
200 g d'oignons
100 g d'échalotes
3 gousses d'ail
500 g de carottes
1 bouquet garni
1 zeste de citron
1 zeste d'orange
50 ml d'huile
250 ml de pineau blanc
persil
sel, poivre

**Pour 6 personnes**
**Temps de préparation :** 35 mn
**Temps de cuisson :** 1 h 30
**Boisson conseillée :** tokay d'Alsace
**Difficulté :** ★

1. Tranchez le jarret de veau en osso-buco. Farinez chacun des morceaux correctement.

2. Épluchez les oignons, les échalotes, l'ail, les carottes et émincez-les finement.

Le pineau des Charentes est un vin de liqueur produit dans la région de Cognac depuis, au moins, l'époque de François Ier. Il titre de 16 à 22° et, blanc ou rouge, se boit en apéritif, se déguste avec le melon ou le foie gras et entre avec bonheur dans la préparation de certains plats.

Contrairement à l'osso-buco traditionnel, qui s'oriente vers des saveurs tomatées, plutôt acides, celui-ci au contraire choisit la douceur des carottes nouvelles, des oignons sucrés et du pineau. Ces saveurs délicieusement imprévues vont enchanter les amateurs.

Luce Bodinaud aime la légèreté et elle préfère faire suer les légumes plutôt que de leur adjoindre la moindre matière grasse. Faites-les cuire à feu doux, en remuant constamment. Quand vous sentez les légumes mollir, sans attendre qu'ils fondent en compote, ajoutez-les aux morceaux de jarret de veau.

Toujours dans le souci d'une cuisine légère, jetez l'huile de cuisson de la viande et dégraissez bien votre plat.

Comme tous les mets rustiques, cette recette est très économique. Savoureux comme tous ces bons plats mitonnés de nos campagnes, ce jarret de veau vous permettra cependant de recevoir avec succès vos invités les plus distingués.

Pour rester dans la note régionale, vous servirez un pineau blanc, très frais, ou rouge, si vous préférez. Notre sommelier vous suggère un tokay d'Alsace si vous avez envie de dépaysement.

3. Dans une casserole, faites suer les oignons, les échalotes, les carottes, les gousses d'ail et le bouquet garni. Ajoutez les zestes d'orange et de citron.

4. Dans une cocotte, faites maintenant dorer les osso-buco avec l'huile. Salez-les et poivrez-les.

# au pineau blanc

5. Versez le pineau, flambez, puis mouillez à hauteur avec de l'eau. Laissez cuire 15 mn à feu doux.

6. Ajoutez maintenant la garniture de légumes, salez à nouveau, poivrez, remuez le tout et laissez cuire à feu doux 40 mn. Au moment de servir, décorez de quelques brindilles de persil et servez bien chaud.

# Rôtis de petits

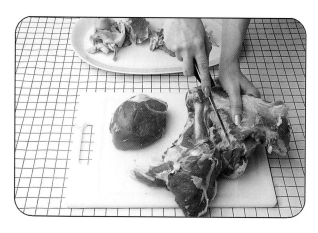

1. Désossez entièrement le gigot et détaillez 7 petites noix dans le gigot en les dénervant correctement.

**Ingrédients :**
1 gigot d'agneau
2 œufs
2 gousses d'ail
quelques branches
 de persil plat
100 ml de crème fraîche
2 cuil. à soupe d'huile
1 cube de jus de viande
sel, poivre

**Pour 6 personnes**
**Temps de préparation :** 25 mn
**Temps de cuisson :** 20 mn
**Boisson conseillée :** château-pontet-canet
**Difficulté : ★**

2. À l'aide d'un mixeur, hachez finement les parures d'agneau.

Un petit gigot à soi, voilà ce que propose cette recette originale. En ces temps où l'on devient, dit-on, si individualiste, offrir à chacun son gigot vous ralliera tous les suffrages des gourmets.

Après avoir enlevé les parures grasses, il vous faudra désosser en suivant soigneusement les muscles de l'agneau, de façon à les couper le moins possible pour éviter que la viande ne saigne trop à la cuisson. Chaque muscle se détachera facilement, pas besoin de couteau, sauf près de l'os.

Enlevez les nerfs des gigots, farcissez-les et ficelez-les, sans serrer. Un simple coup de lame suffira à trancher la ficelle pour détacher chaque morceau après cuisson.

Pour éviter que la farce ne fonde à la cuisson, recouvrez-la bien d'une tranche de viande que vous aurez prélevée sur les petits gigots avant de commencer à les farcir.

Vous pouvez préparer ce plat la veille. Le lendemain, vous n'aurez plus qu'à faire cuire, 20 mn exactement.

Servez chaud, accompagné de haricots verts ou blancs.

Ce plat ne doit pas être réchauffé. S'il reste des gigots, coupez-les en fines tranches. Assorties d'une mayonnaise, elles constitueront un délicieux repas froid.

Notre sommelier vous conseille de rester classique et d'offrir un château-pontet-canet (pauillac). Le mariage sera somptueux.

3. Incorporez 2 blancs d'œufs, les gousses d'ail et le persil en branches. Salez, poivrez et émulsionnez correctement l'ensemble.

4. Incorporez la crème fraîche, donnez de nouveau un tour de mixeur et émulsionnez.

# gigots d'agneau

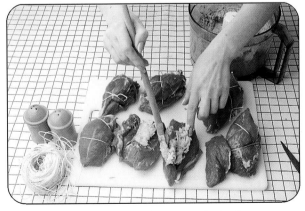

5. Farcissez l'intérieur de chaque petit gigot d'1 bonne cuil. à soupe de farce, puis ficelez-les.

6. Faites chauffer l'huile dans la plaque de cuisson, salez et poivrez les petits gigots et faites-les rôtir. En fin de cuisson, dégraissez la plaque, puis versez la valeur de 200 ml d'eau dans laquelle vous aurez délayé 1 cube de jus de viande. Laissez réduire, incorporez un peu de persil haché et servez cette sauce en accompagnement des petits gigots.

# Lapin en

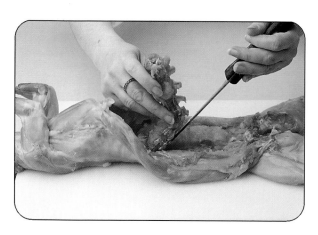

1. Désossez le lapin en prenant garde de ne pas percer la peau.

**Ingrédients :**
1 lapin de 1,5 kg
2 carottes
2 navets
1 branche de céleri
300 g de poitrine de porc
100 g de veau
1 foie de lapin
2 œufs
50 ml de cognac
100 ml de vin blanc
300 ml de crème fraîche
500 g de pâte feuilletée
1 cuil. à soupe de
  moutarde
sel, poivre

**Pour 6 personnes**
**Temps de préparation :** 1 h 10
**Temps de cuisson :** 1 h 5
**Boisson conseillée :** chablis-fourchaumes
**Difficulté :** ★★★

Voici pour la saison de la chasse et pour les frimas de l'hiver, une recette rustique et chaleureuse.

À la place du cognac, l'armagnac ou le marc sont évidemment bienvenus. Et des champignons rajoutés à la farce feront aussi bonne impression.

Jean-Calude Bon vous recommande de bien veiller à la fraîcheur de la viande qui doit avoir un bel aspect brillant. Bridez le lapin bien serré et enveloppez-le d'une barde de lard ou d'une crépine.

Attendez qu'il soit bien froid avant de l'habiller de pâte feuilletée, sinon celle-ci ramollirait.

La sauce moutarde s'accorde parfaitement au goût du lapin mais vous pouvez aussi choisir la sauce brune.

Servez chaud accompagné de pommes boulangères, de chou ou de tomates. Ce plat peut aussi se savourer froid, après que vous l'aurez dévêtu de sa pâte feuilletée.

Un bon vrai repas du terroir qui plaira assurément à toute la maisonnée et qui peut également figurer dans un buffet campagnard.

Notre sommelier vous conseille un chablis-fourchaumes. Le côté vif et tranchant de ce grand vin favorisera l'harmonie de la chair délicate du lapin avec l'onctuosité du feuilletage.

2. Épluchez et coupez en petits dés les carottes, le céleri et les navets. Hachez la poitrine de porc, le veau et le foie.

3. Cassez 1 œuf dans la préparation précédente. Salez, poivrez et versez le cognac tout en remuant énergiquement.

4. Incorporez à la farce les navets, les carottes et le céleri, préalablement blanchis. Farcissez le lapin et recousez-le à l'aide d'une aiguille à brider.

# croûte

5. Salez et poivrez. Faites-le rôtir en prenant soin de ne pas percer la peau. Retirez du feu et laissez refroidir. Déglacez le plat de cuisson avec le vin blanc. Laissez réduire, incorporez la crème, fouettez de nouveau. Passez la sauce au chinois et réservez-la.

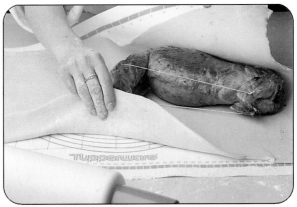

6. Une fois refroidi, enveloppez le lapin dans la pâte feuilletée (voir page 227). Passez-le à l'œuf battu et faites-le cuire à four moyen, pendant environ 20 mn. Ajoutez la moutarde à la sauce. Vérifiez l'assaison-nement et servez-la en accompagnement du lapin.

# Poulet au

1. Nettoyez la volaille et coupez-la en 8 morceaux. Faites-les revenir dans une cocotte contenant du beurre. Salez et poivrez.

**Ingrédients :**
1 poulet de 1,2 kg
50 g de beurre
3 échalotes
3 tomates
100 ml de vinaigre de vin
500 ml de vin de table rouge
500 ml de jus de viande
1 bouquet de ciboulette
sel, poivre

**Pour 5 personnes**
**Temps de préparation :** 15 mn
**Temps de cuisson :** 35 mn
**Boisson conseillée :** chiroubles
**Difficulté :** ★

2. Hachez finement les échalotes, pelez les tomates, épépinez-les et coupez-les en petits dés.

Fini l'éternel poulet du dimanche, banalement rôti ! Voici enfin, sans vous mettre en peine de rien, une manière originale d'accommoder une volaille.

Mais choisissez quand même un poulet fermier, et laissez faire la sauce. Elle ne doit pas être trop épaisse et, pour la réussir, vous devez faire réduire de moitié le vinaigre, puis le vin, et enfin, quand vous l'avez incorporé, le fond, également de moitié. Au dernier moment rajoutez une noix de beurre et le tour est joué, votre sauce est parfaite.

Vous pouvez accompagner votre poulet de petites pommes de terre nouvelles rissolées ou d'épinards à la crème.

Le cerfeuil ou le persil finement ciselés relèveront votre plat aussi bien que la ciboulette. C'est simple et succulent. Cette recette très légère sera diététique d'autant qu'elle est agrémentée d'une herbe acide. Vous voyez comme c'est facile de faire plaisir et de faire chanter les douces habitudes.

L'acidité de la sauce a conduit notre sommelier à chercher un vin allant dans le même sens, tout en apportant du fruit pour arrondir ce beau mariage. C'est pourquoi il vous conseille un chiroubles.

3. Incorporez les échalotes hachées à la volaille et laissez suer 2 à 4 mn.

4. Retirez la volaille. Dégraissez la marmite, déglacez-la avec le vinaigre et laissez réduire 2 à 3 mn

# vinaigre de vin

5. Incorporez le vin rouge et laissez cuire 5 mn. Versez le jus de viande (voir page 230) et laissez de nouveau mijoter.

6. Incorporez les dés de tomates. Rectifiez l'assaisonnement si nécessaire. Montez la sauce au beurre. Nappez les morceaux de volaille, servez bien chaud accompagné d'un riz à la créole et saupoudrez le plat de ciboulette finement hachée.

# Feuilleté de poussins

**Ingrédients :**
2 poussins
100 g de foie gras
  d'oie frais
1 oignon
1 carotte
beurre
1 chou vert frisé
thym
laurier
farine
500 g de pâte feuilletée
1 œuf
sel, poivre

1. Désossez les poussins en les séparant en deux et réservez-les. Escalopez 4 belles tranches de foie gras.

**Pour 4 personnes**
**Temps de préparation :** 40 mn
**Temps de cuisson :** 1 h 30
**Boisson conseillée :** crozes-hermitage
**Difficulté :** ★★

2. Émincez l'oignon et la carotte et faites-les revenir au beurre dans une cocotte. Coupez le chou en 4, déposez-le sur la garniture et ajoutez le bouquet garni. Salez, poivrez, versez 500 ml d'eau et laissez braiser le tout.

Les chefs-d'œuvre résistent à l'épreuve du temps qu'ils traversent sereins. Voici un grand classique qui, malgré les années, offre un plaisir toujours neuf. Le secret de la longévité, c'est sans doute de savoir se faire aimer, sans discontinuer. Toute la réussite de cette recette repose sur le braisage du chou. Il est recommandé de le blanchir, ce qui le rendra plus digeste. Ensuite, dans l'huile ou, mieux, dans le saindoux où reviennent les oignons, les carottes et le bouquet garni, ajoutez un morceau de couenne ou de jambon de Bayonne : le chou aime mijoter longuement car il lui faut du temps pour absorber goûts et parfums. Une bonne heure de cuisson lui fera le plus grand bien. Ne craignez pas de cuire trop de chou. Bien braisé, il se conserve 3 ou 4 jours et vous pourrez faire un bon plat de petit salé qui réjouira la famille.

Pigeons, faisans, perdreaux, pintades seront à la fête si vous les choisissez pour pareille recette.

Ce plat ne présente aucune difficulté de réalisation mais il exige que vous ayez du temps. Il mérite les honneurs d'une grande table.

Notre sommelier vous conseille un vin rouge de la vallée du Rhône, le crozes-hermitage dont le rapport qualité-prix est un des meilleurs de France.

3. Dans une poêle antiadhésive, faites cuire les tranches de foie gras après les avoir farinées. Salez et poivrez.

4. Abaissez la pâte feuilletée (voir page 227) et taillez 8 ronds de feuilletage d'environ 15 cm de diamètre. Clarifiez un œuf que vous additionnez d'un peu d'eau, pour faire la dorure.

# au chou

5. Une fois cuit, laissez refroidir le chou. Déposez la valeur d'une grosse cuil. à soupe de chou sur les ronds de feuilleté, que vous surmonterez d'une tranche de foie gras.

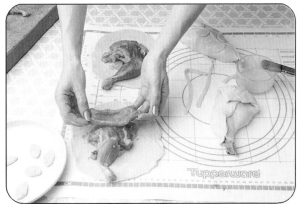

6. Posez un demi-poussin, dont vous aurez retiré la peau, sur le foie gras, badigeonnez le tour du feuilletage de dorure, couvrez d'une autre abaisse de pâte feuilletée également passée à la dorure. Collez les deux abaisses de feuilletage et faites cuire une trentaine de minutes à four chaud.

# Poulet sauté

**Ingrédients :**
1 poulet de 1,5 kg
50 g de beurre
80 ml d'huile
1 tête d'ail
3 tomates
200 ml de vin blanc
1 cube de fond de volaille
3 branches de persil
sel, poivre

1. Flambez le poulet, videz-le correctement et coupez-le en huit. Dans une cocotte contenant l'huile et une pointe de beurre, faites rissoler les morceaux de volaille.

**Pour 4 personnes**
**Temps de préparation :** 30 mn
**Temps de cuisson :** 30 mn
**Boisson conseillée :** seyssel
**Difficulté :** ★

Pour un grand cuisinier, comme pour un amateur de bonnes choses, les frontières n'existent pas. Notre chef francilien, Jean Bordier, reprend, pour le plaisir de tous cette recette régionale. Simple, rapide et bon enfant, elle fera les délices de toute la famille. Particulièrement légère, elle est fort agréable les jours d'été.

Commencez par bien faire colorer vos morceaux de volaille. Cela vous permettra d'en récupérer ensuite tous les sucs, qui vont constituer le cœur parfumé de votre sauce. Vous allez monter cette sauce au beurre, c'est-à-dire incorporer des morceaux de beurre.

La garniture la plus appropriée, si l'on veut rester dans la note, est la classique pomme château. Les pommes de terre sautées accompagneront également à merveille ce poulet. Vous pouvez évidemment choisir une autre volaille pour réaliser cette recette, ce qui vous promet déjà d'autres menus.

Voilà un plat comme nous les aimons, qui ne craint pas d'être réchauffé, bien au contraire, puisqu'il y gagne en saveur. Le poulet a l'avantage d'être particulièrement peu onéreux. Profitez-en pour l'apprêter de si belle manière, que vos invités verront que vous savez faire la fête avec l'ordinaire.

Le sommelier vous recommande un seyssel : ses quelques bulles discrètes sous votre langue vous transporteront d'un seul coup au cœur de l'Isère et de sa cuisine.

2. Enlevez les gousses d'ail de la tête, retirez les premières peaux, puis ajoutez cet ail à demi épluché à votre préparation précédente et laissez revenir le tout.

3. Épluchez les tomates, coupez-les en deux, retirez les pépins, concassez-les et ajoutez-les à la volaille. Laissez revenir le tout.

4. Dégraissez maintenant votre préparation, laissez pincer la garniture et versez le vin blanc. Recouvrez et laissez cuire à feu doux une vingtaine de minutes. Salez légèrement et poivrez.

# grenobloise

5. Délayez le cube de fond de volaille dans 100 ml d'eau et portez-le à ébullition. Retirez le poulet de la cocotte. Versez le fond de volaille et laissez réduire.

6. Au moment de servir la volaille, montez la sauce au beurre, nappez le poulet de cette sauce et saupoudrez-le de persil haché. Servez le tout très chaud.

# Faux-filet

1. Salez et poivrez les faux-filets. Chauffez une poêle avec de l'huile et 2 gousses d'ail et faites poêler les faux-filets (la cuisson variera selon votre goût).

**Ingrédients :**
900 g de faux-filet
2 cuil. à soupe d'huile
4 gousses d'ail
2 échalotes
1 cuil. à soupe
 de moutarde
100 ml de vin blanc
150 ml de crème fraîche
50 g de beurre
sel, poivre

**Pour 4 personnes**
**Temps de préparation :** 10 mn
**Temps de cuisson :** 15 mn
**Boisson conseillée :** morgon
**Difficulté : ★**

2. Épluchez et hachez finement l'échalote. Versez-la dans la poêle de cuisson et laissez revenir à feu doux sans prendre trop de coloration.

La culture gastronomique a ses grands textes classiques qui traversent les âges sans prendre la moindre ride ; ils nous donnent l'assurance et la sérénité indispensables pour se lancer dans les innovations et les créations insolites.

Le faux-filet à la moutarde fait partie de ces trésors prestigieux et immortels que nous avons besoin de retrouver de temps en temps. Le succès ne suffit pas pour donner droit d'entrée dans la tradition. Entre le goûteur et le goûté doit se tisser sans doute un lien profond dont personne encore ne nous a donné la recette.

Jean-Paul Borgeot vous conseille, pour réussir cette belle pièce, de la saisir rapidement, puis, selon le degré de cuisson que vous désirez, de ralentir ou de stopper le feu. La force de la moutarde, dont le nom vient de « moût ardent », est laissée à votre choix.

Vous pourrez faire cette même recette avec du râble de lapin.

Il est bon parfois d'avoir recours aux valeurs sûres et ce plat simple et grandiose plaît, c'est certain, à tous les amateurs de viande rouge.

Pour qu'entre le charnu de la viande et l'agressivité de la moutarde tout se passe très bien, notre sommelier vous conseille de choisir un morgon.

3. Incorporez maintenant la moutarde et, à l'aide d'une fourchette, mélangez l'ensemble.

4. Versez le vin blanc, puis remuez afin de dissoudre la moutarde.

# à la moutarde

5. Ajoutez la crème fraîche et laissez l'ensemble cuire légèrement.

6. Passez la préparation au chinois. Montez la sauce avec 50 g de beurre. Nappez le fond du plat de service. Tranchez les faux-filets et servez avec un petit bouquet de cresson.

# Médaillons de veau

1. Nettoyez le filet de veau et coupez 4 médaillons. Faites-les cuire préalablement farinés dans une poêle contenant du beurre.

**Ingrédients :**
1 filet de veau
2 cuil. à soupe de farine
100 g de beurre
4 échalotes
200 ml de banyuls
1 cube de fond de veau
150 ml de crème fraîche
800 g de girolles
sel, poivre

**Pour 4 personnes**
**Temps de préparation :** 35 mn
**Temps de cuisson :** 30 mn
**Boisson conseillée :** banyuls grand cru
**Difficulté :** ★

2. Hachez finement les échalotes. Dans la poêle, faites revenir les parures de veau, incorporez les échalotes et laissez revenir.

La forme, ronde ou ovale, la tendreté de la chair font de ce morceau de viande un bijou. Le veau exige beaucoup de délicatesse pour sa cuisson, qui demandera toute votre attention. Vous allez saisir la viande au début puis terminer à feu doux pour éviter qu'elle ne se dessèche. Il est très important de laisser les médaillons roses à cœur.

Pendant la cuisson, ajoutez quelques parures et morceaux de gras de veau qui donneront du goût à la sauce.

Surtout, dégraissez bien la sauteuse, avant de faire la sauce.

Faites revenir les girolles après les avoir lavées. Certaines ménagères préfèrent les blanchir dans l'eau bouillante, avant de les passer au beurre. Jean-Paul Borgeot vous le déconseille car ces ravissantes trompettes jaunes y perdent en finesse et en saveur. Ce plat se sert chaud et n'aime pas attendre.

Riche, solide et plantureux, il saura plaire aux appétits élégants et raffinés.

Si vous aimez suivre la règle, alors vous servirez un banyuls grand cru. Mais, si vous aimez sortir des sentiers battus, vous essaierez un côtes-du-rhône grand cru ou un bon châteauneuf-du-pape.

3. Dégraissez la poêle, puis déglacez-la avec le banyuls et laissez cuire quelques minutes à feu doux.

4. Délayez le cube dans 100 ml d'eau. Versez dans la préparation et laissez de nouveau réduire quelques minutes.

# au banyuls

5. Incorporez la crème fraîche et laissez épaissir
à feu doux. Passez la sauce au chinois.
Au moment de servir, montez-la au beurre.

6. Dans une poêle avec du beurre, faites revenir les
girolles. Salez et poivrez. Dressez les médaillons sur le
plat de service. Nappez de la sauce.
Accompagnez des girolles et servez.

# Poitrine de veau

1. Hachez le foie, le persil, l'oignon et l'ail. Ajoutez la chair à saucisse, cassez les œufs et mélangez le tout.

**Ingrédients :**
50 g de foie de veau
4 branches de persil
2 oignons
1 gousse d'ail
200 g de chair à saucisse
2 œufs
1 poignée de mie de pain
200 ml de lait
1 morceau de poitrine
  de veau de 900 g
2 carottes
50 g de petits pois
100 g de haricots verts
200 ml de vin blanc
3 clous de girofle
1 bouquet garni
sel, poivre

**Pour 6 personnes**
**Temps de préparation :** 1 h
**Temps de cuisson :** 1 h 30
**Boisson conseillée :** beaujolais blanc
**Difficulté : ★★**

2. Faites tremper la mie de pain dans le lait, puis passez-la au moulin à légumes. Additionnez-la à la farce précédente. Salez et poivrez.

Poitrine généreuse qui cache dans sa panse une farce dodue, quelle aubaine pour toute la nichée ! Voilà un plat qui saura materner vos grands et petits affamés.

Demandez à votre boucher de la poitrine désossée, côté flanchet de préférence. Dégagez-lui sa poche d'abondance et fourrez-la du bon farci auquel vous aurez ajouté un œuf, pour qu'il soit plus lié à la cuisson.

Les légumes bien frais apportent leurs saveurs mais aussi leurs couleurs, alors jouez avec les verts tendres ou vifs, sombres ou clairs, des petits pois ou des haricots verts, l'orange des carottes, la transparence nacrée de rose des oignons. Vous ferez danser gaiement le printemps dans les assiettes.

Pour avoir de belles tranches, laissez tiédir la poitrine farcie une demi-heure avant de la découper.

Notez que, faute de poitrine de veau, vous pourrez faire cette recette avec une épaule d'agneau. Dans ce cas, quelques gousses d'ail supplémentaires seront nécessaires pour relever le goût de la viande.

Ce régal, servi tiède, appartient aux saisons fraîches d'automne et d'hiver qu'il vient réchauffer, accompagné d'une potée aux choux.

Froid, puisqu'il se conserve deux jours au réfrigérateur, il devient complice de l'été, entouré alors d'une salade amoureusement assaisonnée à l'huile de noisette.

Pour le sommelier, la souplesse du veau sied au fruité délicat d'un beaujolais blanc.

3. Désossez la poitrine à l'aide d'un couteau et ouvrez-la. Dans 3 casseroles séparées, pochez les carottes coupées en bâtonnets, les haricots verts et les petits pois.

4. Incorporez la moitié des petits pois, la moitié des carottes et la moitié des haricots verts à la farce. Mélangez le tout. Puis, à l'aide d'une cuillère, garnissez la poitrine de veau.

# pochée printanière

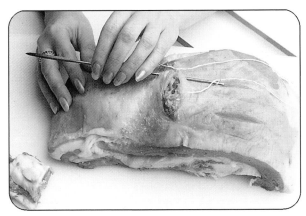

5. Dans une cocotte d'eau salée et poivrée, versez les 200 ml de vin blanc, ajoutez l'oignon piqué de clous de girofle, un bouquet garni et une carotte. Fermez, à l'aide d'une aiguille et d'un fil, la poitrine de veau.

6. Portez le court-bouillon à ébullition, ajoutez la poitrine de veau et laissez cuire à feu très doux durant 1 h 30. Coupez la poitrine en tranches et servez bien chaud, accompagné de petits légumes.

# Aiguillette de rumsteck

1. Coupez la barde de lard en bâtonnets. Mettez-les au congélateur afin qu'ils soient bien durs. Percez des trous de part en part de l'aiguillette et enfoncez les bâtonnets de lard.

**Ingrédients :**

1 aiguillette de 1,2 kg
  environ
1 morceau de barde
  de lard
4 carottes
1 oignon
1 branche de céleri
1 bouquet garni
3 cuil. à soupe d'huile
3 tomates
1 bouteille de bordeaux
200 ml de porto
1 cube de fond de volaille
3 navets
4 pommes de terre
80 g de petits oignons
1 cuil. à café de fécule
  de pommes de terre
sel, poivre

**Pour 6 personnes**
**Temps de préparation :** 20 mn
**Temps de cuisson :** 2 h
**Boisson conseillée :** château-de-jau
**Difficulté :** ★

C'est un de ces plats d'autrefois, que nos grands-mères aimaient — dans nos campagnes — faire mijoter longuement. Si vous aimez panacher la modernité des cuisines nouvelles de bonnes recettes ancestrales, vous choisirez un jour de préparer cette aiguillette.

Il est important que vous fassiez cuire la viande tout doucement et longtemps. Cette cuisson amoureuse la rendra moelleuse et délicate.

Maurice Brazier vous conseille de demander à votre boucher une aiguillette rassise. Elle sera ainsi, dès le départ, plus tendre.

Faites fondre la brunoise sans la faire colorer afin de n'introduire aucune amertume dans ce plat de douceur.

Le porto se marie au vin en un subtil mélange qui arrondit les velléités d'acidité. Pour lier la sauce, préférez la fécule à la Maïzena : elle donnera un brillant plus pur. Sachez la doser : la sauce ne doit être ni trop épaisse ni trop liquide.

Ce plat de campagne aime les feux de bois et les soirées d'hiver feutrées. Secouez la tristesse des villes sous la pluie en offrant ce plat de longue haleine qui aura déjà empli toute la maison d'odeurs voluptueuses.

Notre sommelier a choisi, pour ce plat de caractère, un côtes-du-roussillon un château-de-jau, vin violent et tendre à la fois.

2. Coupez en brunoise 1 carotte, 1 oignon, la branche de céleri et ficelez le bouquet garni. Dans une cocotte contenant de l'huile chaude, faites revenir abondamment l'aiguillette et versez la brunoise de légumes.

3. Une fois les légumes revenus, incorporez les tomates préalablement concassées.

4. Recouvrez l'aiguillette du vin rouge et du porto, puis laissez prendre une ébullition.

# à la bourgeoise

5. Délayez le cube de fond de volaille (voir page 233) dans 100 ml d'eau et versez-le sur l'aiguillette. Recouvrez et laissez cuire à feu doux pendant 2 h. Vérifiez de temps à autre qu'elle n'attache pas.

6. Taillez l'ensemble des légumes en bâtonnets, puis faites-les pocher dans des eaux différentes. Une fois cuite, retirez-la de la sauce. Passez la sauce au chinois et liez-la légèrement avec 1 cuil. à café de fécule délayée dans 3 cuil. à soupe d'eau.

# Jarret de veau

**Ingrédients :**
1 jarret de veau
50 ml d'huile
2 oignons
200 ml de Grand Marnier
1 cuil. à soupe de farine
1 bouquet garni
1 branche de céleri
1 tomate
2 gousses d'ail
250 ml de vin blanc sec
2 oranges
50 g de beurre
sel, poivre

**Pour 6 personnes**
**Temps de préparation :** 15 mn
**Temps de cuisson :** 1 h 30
**Boisson conseillée :** chiroubles
**Difficulté : ★**

1. Dans une cocotte contenant de l'huile, faites abondamment revenir le jarret de veau préalablement salé et poivré. Épluchez, hachez l'oignon finement et incorporez-le au jarret.

Le jarret de veau, avec son bel os riche en moelle, vous le connaissez. Désossé, il sert souvent à la blanquette ou à la très chaleureuse potée. Maurice Brazier, ici, pour faire chanter votre cuisine, a joué sur les parfums.

Pour éviter les grumeaux dans votre sauce, délayez bien la farine dans la préparation. Vous pouvez également utiliser du beurre manié.

N'oubliez pas de faire flamber le Grand Marnier pour diminuer le taux d'alcool. Cette petite opération est somptueuse, avec sa danse de flammes bleues.

Il vous faudra blanchir deux, peut-être trois fois les zestes d'orange pour qu'ils perdent leur amertume et puissent s'associer avec le Grand Marnier dans la plus parfaite harmonie, puisque, vous le savez, le Grand Marnier est une liqueur d'orange.

Vous pouvez, bien sûr, en variante, faire avec cette recette, un canard à l'orange, mais aussi vous pouvez essayer toutes les viandes blanches.

Accompagnez ce jarret généreux d'un riz au safran qui rehaussera, de sa belle robe jaune, le brun de la sauce. Les perfectionnistes pourront ajouter quelques rondelles d'oranges confites au sirop, pour faire de cette harmonie une véritable apothéose.

Cette viande au parfum de fruits est parfaite pour un dîner aux chandelles, à deux ou entre amis.

On associe souvent aux sauces un peu douces et amères l'acidité du cépage gamay, aussi notre sommelier vous conseille-t-il un chiroubles.

2. Une fois les oignons bien tombés, flambez le jarret de veau au Grand Marnier.

3. Saupoudrez d'1 cuil. à soupe de farine et mélangez bien l'ensemble.

4. Ajoutez 1 petit bouquet garni, 1 branche de céleri émincée, 1 tomate concassée, 2 gousses d'ail et laissez revenir légèrement l'ensemble.

# au Grand Marnier

5. Mouillez l'ensemble de vin blanc et de 150 ml d'eau. Laissez cuire à couvert pendant environ 1 h, salez et poivrez.

6. Épluchez le zeste d'une orange. Faites-le blanchir à deux ou trois reprises et ajoutez-le au jarret de veau. Laissez cuire de nouveau pendant 10 mn. Dressez le jarret, passez la sauce au chinois, nappez le jarret et servez bien chaud.

# Joues de cochon

**Ingrédients :**
1 pied de veau désossé
1 kg de joues de porc
1 l de vin rouge
50 ml d'huile
1 bouquet garni
1 oignon
600 g de carottes
1 kg de pommes de terre
100 g de beurre
1 bouquet de persil
1 bouquet de cerfeuil
sel, poivre

**Pour 4 personnes**
**Temps de préparation :** 25 mn
**Temps de cuisson :** 2 h 10
**Boisson conseillée :** morgon
**Difficulté :** ★★

1. Dans une casserole, faites cuire le pied de veau préalablement blanchi avec le vin, le bouquet garni, le sel et le poivre. Laissez cuire à couvert et à feu doux pendant 1 h.

Charles Monselet, gastronome poète, a chanté la gloire culinaire du cochon : « car tout est bon en toi, écrit-il, chair, graisse, muscles, tripes ». Il aurait pu ajouter « et joues »…
Les joues sont le morceau constitué par la mâchoire inférieure, avec ses muscles. Elles font partie des abats, mais sont traitées séparément.
N'hésitez pas à demander à votre boucher de désosser le pied de veau car c'est une tâche sinon difficile, du moins un peu contraignante. Laissez blondir légèrement les oignons, avant d'y incorporer les carottes, cela donnera de la couleur à la sauce.
Jacques Cagna a choisi les pommes de terre rattes, à la peau jaune et à la chair jaune foncé, pour leur bonne tenue à la cuisson. Attention, car les carottes durcissent au contact de l'alcool. Pour éviter pareil inconvénient, laissez les rondelles de carottes cuire doucement à l'étuvée jusqu'à finition de la sauce. Cette longue cuisson permettra de dépasser le stade du durcissement.
Simple, économique et rustique, ce plat sobre, s'il doit faire partie de vos recettes familiales, ne déparera pas vos tables d'hôtes. Il réchauffera de sa sympathique présence vos retrouvailles entre amis.
Ce plat rustique a, pour notre sommelier, des allures assez canailles pour l'accompagner d'un grand beaujolais. Il vous conseille un morgon.

2. Nettoyez soigneusement les joues de porc. Faites-les revenir à l'huile dans une poêle. Salez et poivrez.

3. Épluchez et émincez finement l'oignon et les carottes. Faites revenir l'oignon dans une cocotte avec de l'huile.

4. Épluchez et tournez les pommes de terre. Faites-les cuire dans de l'eau salée. Incorporez 1 cuil. à soupe de beurre à l'oignon et ajoutez les carottes émincées. Laissez revenir l'ensemble.

# aux carottes

5. Ajoutez maintenant les joues de porc.
Salez et poivrez.

6. Versez le jus de cuisson et le pied de veau sur les
joues de porc et laissez finir de cuire l'ensemble.
Dressez la garniture au centre du plat. Passez la
sauce, montez-la légèrement au beurre. Nappez et
servez bien chaud, accompagné des pommes de terre.

# Médaillons de veau,

1. Épluchez les carottes, les navets, les pommes de terre et le céleri-rave. Épluchez à vif les citrons verts et levez les quartiers. Coupez le gingembre une fois épluché en fine julienne. Tournez les carottes et les navets.

2. Dans une casserole d'eau, faites cuire les carottes préalablement tournées, ainsi que les navets avec un peu de sucre et de beurre. Faites cuire en purée le céleri mélangé aux pommes de terre dans du lait accompagné d'un morceau de citron.

**Ingrédients :**
1 filet de veau
4 carottes
4 navets
1 céleri-rave
2 citrons verts
80 g de gingembre frais
100 g de beurre
sucre
4 pommes de terre
300 ml de lait
1 citron jaune
3 cuil. à soupe de farine
huile
100 ml de crème fraîche
4 cuil. à soupe de sauce
 de soja
sel, poivre

**Pour 4 personnes**
**Temps de préparation :** 30 mn
**Temps de cuisson :** 35 mn
**Boisson conseillée :** châteauneuf-du-pape blanc
**Difficulté : ★**

Fiez-vous à nos pronostics : veau, gingembre et citron vert, c'est un tiercé gagnant, et qui vous fera récolter une moisson de succès.

N'oubliez pas d'arroser d'un jus de citron la purée de céleri durant la cuisson pour qu'elle ne noircisse pas. Les pommes de terre, vous le savez, contiennent de la fécule. C'est pour cette raison que Jean Cagna en met dans cette recette, car elles vont servir de liant. Le beurre rajouté à l'eau de cuisson des légumes sert à les lustrer légèrement. Quant au sucre, adjoint à la cuisson des navets, il est là pour enlever la petite amertume que ce légume dégage parfois. Le gingembre est long à cuire. Il demande à être émincé très fin. Commencez par sa cuisson et organisez ensuite le reste de vos préparations.

Originaire des Indes et de Malaisie, cultivé dans les pays chauds, le gingembre au goût piquant est un condiment important dans les cuisines orientales. Il est passé en Occident depuis longtemps, mais on le réservait à la confiserie. Ce n'est que récemment qu'il vient aussi épicer les viandes et les poissons.

Plus tonique que le poivre, il distille dans le corps une douce chaleur, dont les bienfaits durent longtemps. Il a des vertus stimulantes, et certains prétendent même qu'il a des propriétés aphrodisiaques. Par les parfums et les saveurs qu'il déploie, cet ambassadeur de l'amour donnera à vos dîners intimes une touche d'exotisme.

Ce plat plein de vigueur et d'épices a besoin d'un vin viril, dit notre sommelier, pour l'accompagner. Il vous conseille donc un châteauneuf-du-pape blanc.

3. Coupez le filet de veau en médaillons, salez, poivrez et farinez-les. Déposez une poêle sur le feu avec un peu de beurre et d'huile et faites cuire les médaillons.

4. Faites blanchir la julienne de gingembre dans 2 ou 3 eaux différentes. Passez votre purée de céleri au moulin à légumes. Une fois le gingembre blanchi, faites-le cuire en incorporant la moitié de la crème fraîche et 1 petite cuil. à café de sucre.

# gingembre et citron vert

5. Terminez la mousseline de céleri en incorporant la moitié du reste de la crème fraîche. Salez et poivrez légèrement. Laissez réduire la cuisson du gingembre, puis montez-la au beurre.

6. Versez le reste de la crème fraîche. Incorporez la sauce de soja à la sauce et remuez. Servez les médaillons accompagnés de la sauce et surmontés de petits quartiers de citrons pelés, d'un peu de julienne de gingembre, de carottes et de navets tournés et de la mousseline de céleri.

# Côtes de porc en crépine

1. Désossez les côtes de porc et conservez les os.

**Ingrédients :**
6 côtes de porc
150 g de crépine
300 g de cèpes
1 œuf
1 cuil. à soupe d'huile
sel, poivre

**Pour 4 personnes**
**Temps de préparation :** 25 mn
**Temps de cuisson :** 15 mn
**Boisson conseillée :** gaillac rouge
**Difficulté :** ★★

2. Hachez la chair et réservez-la dans un bol.

En France, la viande de porc est la plus consommée. Grimod de La Reynière estimait que le porc ne pouvait fournir de « rôti pour les tables distinguées ». Cette recette simple et ancienne que notre chef nous a confiée vient témoigner qu'un succès est toujours mérité et que les saveurs populaires ont la noblesse de la vérité.

Les côtes de porc vous demanderont deux temps de cuisson : il vous faudra les poêler pour les dorer, puis les passer au four pour les cuire.

Si vous optez pour le gratin dauphinois en accompagnement, utilisez pour la cuisson du gratin la chaleur du four que vous avez allumé pour faire cuire les côtes. Vous pourrez, pour varier, remplacer les cèpes par des pointes d'asperges et le porc par du veau. Servez chaud mais sachez que ce plat délicieux peut être réchauffé.

Ne réservez pas ce plaisir à votre seule table familiale, invitez vos amis, ils sauront apprécier que vous leur offriez avec simplicité ce bonheur culinaire.

Découvrez ou faites découvrir un vin gai et friand ! Notre sommelier vous conseille un gaillac rouge.

3. Hachez les cèpes. Incorporez l'œuf et les cèpes à la viande hachée.

4. Salez et poivrez la préparation. Remuez énergiquement. Étalez un morceau de crépine. Déposez l'os d'une côte et la valeur de 3 cuil. à soupe de farce.

# façon ma grand-mère

5. Refermez la crépine en redonnant à la farce la forme d'une côte de porc.

6. Versez l'huile dans une poêle. Salez, poivrez et faites-les cuire à feu doux. Servez accompagné d'une sauce tomate.

# Filet d'agneau aux

1. Dans une cocotte, faites revenir avec un peu d'huile les os de la selle d'agneau. Ajoutez la carotte, les oignons, l'ail coupé en brunoise, ainsi que le romarin. Salez et poivrez. Mouillez à hauteur et laissez cuire le jus d'agneau.

**Ingrédients :**
1 selle d'agneau désossée
2 cuil. à soupe d'huile
  d'olive
1 carotte
2 oignons
1 gousse d'ail
1 branche de romarin
500 g de haricots blancs
2 branches de blettes
2 cuil. à soupe
  de crème fraîche
1 cuil. à café de parmesan
6 olives noires
2 tomates
1/2 branche de basilic
120 g de beurre
sel, poivre

**Pour 6 personnes**
**Temps de préparation :** 35 mn
**Temps de cuisson :** 30 mn
**Boisson conseillée :** madiran
**Difficulté :** ★★

2. Dans une casserole, déposez les haricots qui auront préalablement trempé et gonflé. Faites-les cuire. Aux 3/4 de la cuisson, salez-les.

Vous remarquez le plaisir évident que prend Jacques Chibois à brosser un titre d'un coup de crayon, comme un dessin, une esquisse et parfois même une gentille caricature. Le baluchon nous réserve des surprises agréables, car il contient des légumes connus de tous mais très souvent oubliés : les blettes, que l'on trouve dans tous les jardins. Pour cette recette, il vous faudra avoir les fourneaux à l'œil car vous aurez à effectuer différentes opérations.

Commencez par blanchir les blettes à l'eau salée, très peu de temps, les feuilles deviendront faciles à manipuler pour la préparation des baluchons. Les blancs des blettes (côtes) demandent une cuisson plus longue.

Ce qui rend cette recette attrayante, c'est que vous pouvez préparer tous les légumes la veille, ainsi que le jus d'agneau. Vous n'aurez donc plus que la viande à apprêter au moment de servir, en réchauffant à feu doux la garniture et le jus.

Les haricots blancs peuvent être remplacés par des fèves dont le vert tendre apportera une note plus vive.

Si vous avez laissé refroidir votre plat, réchauffez la viande quelques minutes au four : vous obtiendrez ainsi une viande dont le moelleux sera un ravissement au palais.

Notre sommelier vous suggère un madiran (château-de-montus), un vin grand seigneur à la fois corsé et plein de tendresse.

3. Retirez les feuilles de blettes et réservez-les. Coupez la côte des blettes en petits dés et faites légèrement blanchir les feuilles de blettes.

4. Pochez les dés de blettes aux 3/4. Égouttez-les et terminez leur cuisson en ajoutant la crème fraîche et le parmesan.

# baluchons de blettes

5. et 6. Dénoyautez les olives et coupez-les en petits dés. Pelez, épépinez et coupez les tomates en petits dés. Ciselez le basilic. Déposez 1 cuil. de dés de blettes sur les feuilles de blettes et refermez en formant des petits paquets. Une fois les haricots cuits, égouttez-les. Incorporez la moitié de la concassée de tomate et le basilic haché. Mouillez d'un peu

de jus d'agneau monté au beurre et laissez mijoter. Passez le reste du jus d'agneau au chinois et laissez réduire. Dans une poêle, faites rôtir les filets d'agneau avec de l'huile d'olive. Salez et poivrez. Dressez-les sur le plat accompagné des haricots, d'un peu de jus d'agneau, des blettes, de concassée de tomate et d'olives noires.

# Papillotes de volaille

1. Hachez les échalotes et faites-les revenir dans une casserole avec une noisette de beurre. Versez le porto et le cognac et laissez réduire de moitié. Incorporez 300 ml de jus de viande (voir page 230). Salez, poivrez et laissez cuire pendant 15 mn. Passez la sauce au chinois. Réservez.

2. Nettoyez les blancs de volaille. Salez-les et poivrez-les. Enveloppez-les de crépine. Faites revenir les tranches de foie gras légèrement salées et poivrées dans une poêle antiadhésive et réservez-les.

**Ingrédients :**
4 blancs de volaille
  (de 150 g)
2 échalotes
50 g de beurre
150 ml de porto
50 ml de cognac
300 ml de jus de viande
  de bœuf
350 g de crépinette
12 petites tranches de foie
  gras de canard
2 cuil. à soupe d'huile
40 g de truffes
1 cuil. à café de fécule
  de pomme de terre
papier sulfurisé
50 ml de sauce Périgeux
sel, poivre

**Pour 4 personnes**
**Temps de préparation :** 35 mn
**Temps de cuisson :** 35 mn
**Boisson conseillée :** gevrey-chambertin
**Difficulté :** ★★

La sauce Périgueux est en cuisine un grand classique de haut prestige. Elle est composée d'une réduction de madère et de jus de truffe, et souvent agrémentée de fines lamelles de truffe. Pendant longtemps, le Périgord noir fut la région de France qui pouvait se vanter d'avoir les plus beaux de ces champignons si précieux et de produire la meilleure des variétés de truffes, belles comme des diamants de nuit. C'est sans doute pour cette raison que, pour lui rendre hommage, on donna le nom de sa capitale à cette sauce de grande réputation.

Les papillotes sont une forme de cuisson qui est très prisée et recherchée. Elle demande du doigté pour plier délicatement le papier sulfurisé qui va servir d'enveloppe à votre préparation. Ce joli petit plissé a pour fonction de fermer soigneusement la papillote qui va se gonfler ensuite à la chaleur du four. La crépinette entoure les filets pour éviter qu'ils ne se dessèchent.

Si vous suivez à la lettre les conseils de Marc Daniel, tels qu'ils vous sont donnés, avec la manière d'opérer, vous êtes sûre d'obtenir ce magnifique résultat, digne des plus grandes tables.

Ces « papillotes de volaille sauce Périgueux », aux parfums lents et profonds, sont de véritables joyaux que vous aurez à cœur d'offrir à vos amis les plus chers.

Notre sommelier vous propose un gevrey-chambertin. Ce grand vin rouge de Bourgogne est inimitable. Dégustez-le et découvrez ses arômes de griotte.

3. Dans une poêle, faites cuire à feu doux les blancs de volaille avec l'huile. Incorporez à la sauce les truffes hachées et laissez mijoter.

4. Liez légèrement la sauce et avec un peu de fécule délayée dans de l'eau. Rectifiez l'assaisonnement de la sauce et montez-la au beurre. Débarrassez les blancs de volaille de la crépine et escalopez-les.

# sauce Périgueux

5. Pliez une feuille de papier sulfurisé en deux. À l'aide de ciseaux, découpez un demi-cercle du côté de la pliure du papier. Ouvrez le papier, déposez 2 blancs de volaille et 3 petites escalopes de foie de canard. Versez une petite louche de sauce Périgueux.

6. Refermez hermétiquement la papillote en suivant le pourtour du cercle. Déposez-la sur une plaque et faites-la cuire pendant 5 à 6 mn au four. Au moment de servir, ouvrez la papillote et accompagnez-la des légumes de votre choix.

# Filet de pauillac

1. Faites blanchir le ris de veau en le démarrant à l'eau froide. Rafraîchissez-le. Égouttez-le et réservez-le.

**Ingrédients :**
2 filets d'agneau
150 ml de vin blanc
1 ris de veau
1 oignon
1 carotte
2 gousses d'ail
100 ml d'huile
200 g de beurre
250 g de lentins
(champignons)
2 truffes
1 bouquet de ciboulette
sel, poivre

**Pour 4 personnes**
**Temps de préparation :** 20 mn
**Temps de cuisson :** 30 mn
**Boisson conseillée :** lynch-bages
**Difficulté :** ★

2. Épluchez les oignons, la carotte et coupez-les en brunoise. Épluchez les gousses d'ail, coupez-les en deux et retirez le germe.

L'agneau de Pauillac est élevé dans une région dont les crus sont si réputés qu'ils ne sont plus à vanter. La qualité de sa chair à la finesse exceptionnelle est tout à fait à la hauteur de ces grands vins rouges du Haut-Médoc.

Le climat et la nature du sol de ce coin de France béni sont sans doute les agents de tant de perfection. Notre chef a d'ailleurs hérité des qualités de ce pays.

Le lentin est un champignon d'origine chinoise que l'on trouve maintenant en France, mais qui est encore peu répandu. Il pousse en Périgord sur des bûches de chêne. Si vous avez du mal à en trouver, vous pourrez aisément le remplacer par des pleurotes. Quand c'est leur saison, au printemps et en automne, ils ne désertent jamais les marchés.

Veillez scrupuleusement à la cuisson de l'agneau. Il doit être doré à l'extérieur et rester rosé à cœur. Laissez reposer la viande, elle sera, après cette petite pause, plus tendre à la dégustation.

Si les truffes vous semblent un luxe à réserver exclusivement aux grandes occasions, vous pourrez les remplacer par des morilles ou des trompettes-de-la-mort. Elles apporteront aussi un parfum délicieux.

Servez chaud. Ce « filet de pauillac aux truffes » ne peut se réchauffer.

Puisque c'est la fête, notre sommelier vous suggère de casser votre tirelire et de déguster le seul vin au monde à avoir fait un voyage interplanétaire : le lynch-bages.

3. Dans un plat de cuisson, faites revenir avec un peu d'huile la brunoise d'oignon et de carotte. Ajoutez l'ail. Ajoutez le ris de veau. Laissez-le colorer. Déglacez au vin blanc. Salez, poivrez et terminez la cuisson à couvert.

4. Dans une poêle, faites cuire les filets d'agneau salés et poivrés avec de l'huile et du beurre.

# aux truffes

5. Chauffez une poêle avec un peu de beurre et faites revenir les lentins, puis assaisonnez-les. Déglacez la poêle des filets d'agneau avec le jus de ris de veau et la cuisson des champignons.

6. Laissez réduire et montez au beurre. Épluchez les ris de veau, détaillez-les en petits dés et disposez-les au centre du plat. Dressez les filets d'agneau escalopés, accompagnés de la sauce, des lentins et de lamelles de truffes. Servez chaud avec de la ciboulette.

# Magrets de canard,

**Ingrédients :**
2 magrets de canard
350 g de carottes
300 g de navets
150 g de foie gras
   de canard
30 g de truffes
150 g de beurre
100 ml de vin blanc

**Pour 4 personnes**
**Temps de préparation :** 30 mn
**Temps de cuisson :** 15 mn
**Boisson conseillée :** château-patris
**Difficulté :** ★★

1. Dégraissez soigneusement les magrets de canard, salez-les et poivrez-les. Épluchez les carottes, les navets et taillez-les en bâtonnets.

2. Faites cuire dans de l'eau légèrement salée additionnée d'1 cuil. à soupe de beurre et d'1 cuil. à café de sucre les carottes et les navets, tout en les conservant légèrement croquants.

Voilà réunies en un bouquet somptueux les trois fiertés d'une région. Magrets de canard, foie gras et truffes sont les fleurons de la gastronomie du Sud-Ouest. Riches en goûts et en parfums, ils vont se mêler en une harmonie grandiose.

Si vous désirez glacer les légumes, mouillez-les à fleur, ajoutez une noix de beurre et 1 cuil. à café de sucre. Laissez cuire à feu doux jusqu'à évaporation de l'eau. Il reste donc le beurre et le sucre pour enrober les légumes qui seront ainsi légèrement sucrés et brillants. Pour qu'ils restent bien craquants, ne les faites pas cuire trop longtemps.

Faites bien saisir le magret, sans matière grasse, côté peau, mais n'oubliez pas qu'il se mange saignant.

Vous pouvez, selon vos goûts, remplacer les carottes ou les navets par de petites pommes rissolées. Ce plat peut également s'accompagner d'une compote d'ail que vous réaliserez en mettant dans une casserole, avec une noix de beurre, les gousses d'ail épluchées, 2 cuil. à café de sucre, en mouillant à ras, le tout recouvert d'un papier d'aluminium et en faisant cuire à feu doux jusqu'à évaporation complète du liquide. Laissez légèrement colorer l'ail, vous vous régalerez.

Ce plat se déguste chaud, juste après la cuisson. Vous le destinerez aux amis que vous voulez particulièrement soigner.

Pour le sommelier, les arômes souples d'un grand vin de saint-émilion comme le château-patris arrondissent avec bonheur les magrets de canard.

3. Dans une poêle chaude, faites cuire les magrets de canard en les conservant légèrement saignants.

4. Coupez le foie gras en bâtonnets et réservez-le. Une fois cuits, retirez les magrets de canard. Dégraissez la poêle aux 3/4.

# foie gras et truffes

5. Versez le vin blanc, laissez réduire 2 mn, puis ajoutez le foie gras. Laissez frissonner quelques instants.

6. Ajoutez les truffes, laissez mijoter 30 secondes et nappez les magrets de canard escalopés, de cette sauce. Servez bien chaud, accompagné des légumes étuvés au beurre.

# Pantoufles

1. Dégraisser soigneusement les magrets de canard. Salez et poivrez.

**Ingrédients :**
2 magrets de canard
50 g de beurre
500 g de foie gras
  de canard cuit
500 g de pâte feuilletée
50 g de farine
1 œuf
250 ml de sauce madère
sel, poivre

**Pour 4 personnes**
**Temps de préparation :** 40 mn
**Temps de cuisson :** 20 mn
**Boisson conseillée :** château-figeac
**Difficulté :** ★★

2. Dans une poêle, faites cuire les magrets de canard avec du beurre en les conservant très saignants.

C'est en l'honneur de l'évêque de Luçon, dont l'établissement d'Alain Darc porte le nom, que cette recette fut baptisée ainsi. On raconte que le cardinal avait un solide appétit et qu'il aimait les produits de qualité. À peine était-il arrivé au Relais, que dit-on, il se déchaussait et mettait des pantoufles, sans doute pour se préparer à plus de recueillement gastronomique… Légende ou réalité, qu'importe, cette histoire est fort belle car elle dit simplement le prix des nourritures terrestres.

Cette recette est un véritable voyage au cœur du terroir landais et il est difficile de déterminer si le magret rehausse le foie gras ou si c'est l'inverse tant elle réalise un harmonieux équilibre des goûts.

Nous n'avons pas pu résister au charme envoûtant des truffes mais vous pouvez les remplacer par des trompettes-de-la-mort qui s'accommoderont fort bien de la sauce madère. Et, pour tenir compagnie aux cèpes, des pommes rissolées feront aussi un excellent mariage.

Le chef attire votre attention sur le temps de cuisson : 10 mn à four très chaud. Ce plat peut donc se cuire au dernier moment.

Pour un repas de fête, à plusieurs ou en amoureux, cette alliance de produits vrais ajoutera à votre bonheur.

La richesse des cèpes, magrets et foie gras impose, pour le sommelier, l'onctuosité d'un grand saint-émilion. Il vous conseille donc un château-figeac.

3. Émincez le foie gras, réservez-le, puis étalez en fine abaisse la pâte feuilletée (voir page 227).

4. Escalopez le magret de canard préalablement refroidi, puis disposez-le sur la pâte en intercalant successivement une tranche de foie gras.

# du cardinal

5. Recouvrez le magret de canard en lui donnant la forme d'un chausson.

6. Pincez légèrement les bords, badigeonnez le magret avec l'œuf battu. Faites cuire à four chaud, accompagné d'une sauce madère (voir page 229), de cèpes et de pommes rissolées.

# Poulet des Landes

**Ingrédients :**
1 poulet des Landes
  de 1,2 kg environ
1 cuil. à soupe de farine
60 g de beurre
200 ml de vin blanc sec
  (tursan de préférence)
2 cubes de fond de bœuf
200 g de cèpes
beurre manié
2 tranches épaisses
  de jambon de Bayonne
armagnac
2 cuil. à soupe de
  pignons de pin
sel, poivre

**Pour 4 personnes**
**Temps de préparation :** 40 mn
**Temps de cuisson :** 30 mn
**Boisson conseillée :** madiran
**Difficulté : ★**

1. Coupez le poulet en 4 morceaux, désossez-les, salez, poivrez et farinez-les. Faites-les revenir avec une partie du beurre.

Cette recette fut créée, il y a vingt ans, par le père d'Alain Darc lors d'un repas donné à la tour Eiffel pour la promotion des produits régionaux.

La Goudalière est une confrérie gastronomique des Landes qui connaît et apprécie les richesses de la cuisine de son pays. Vous utiliserez des produits du terroir, jambon de Bayonne, cèpes et poulet, mais poulet landais, à label rouge, élevé en semi-liberté et engraissé au maïs.

Une bonne réduction se fait à feu moyen : laissez bouillir en remuant avec une cuillère en bois, jusqu'à ce que votre jus devienne épais. Ainsi, l'acidité du vin sera éliminée.

Si vous voulez enlever l'amertume des fonds tout prêts, ajoutez des légumes (oignons et carottes coupés en rondelles). Ajoutez une pointe d'armagnac dans votre sauce, juste avant de servir. Et, pour la touche finale, parsemez de quelques pignons.

Cette recette est facile à réaliser et se réchauffe sans problème.

Vous pouvez l'accompagner délicieusement de galettes de maïs pour enrichir ce voyage du palais au pays des Landes.

Le poulet est devenu aujourd'hui, pour la majorité des Français, la viande la plus populaire. Cette manière de l'accommoder va lui donner caractère et originalité.

Le sommelier vous suggère un madiran. Comme les vins de madiran sont un peu rugueux dans leur jeunesse, il vous recommande de préférer pour ce plat un vin ayant au moins cinq ans d'âge.

2. Terminez la cuisson du poulet au four. Dégraissez le plat de cuisson et versez les 200 ml de vin blanc.

3. Laissez le vin blanc réduire à sec, puis incorporez les 2 cubes de fond délayés dans 400 ml d'eau ou 1 jus de viande (voir page 230) lié.

4. Rectifiez l'assaisonnement de la sauce si nécessaire puis liez légèrement avec un peu de beurre manié.

# à la goudalière

5. Dans 2 poêles différentes contenant du beurre, faites revenir les cèpes et le jambon de Bayonne préalablement coupé en petits morceaux.

6. Passez la sauce au chinois. Ajoutez le jambon de Bayonne, les cèpes et une pointe d'armagnac. Laissez prendre un tour de bouillon. Nappez la volaille et servez très chaud accompagné des pignons de pin légèrement grillés et de croquettes de maïs.

# Côtes de veau

**Ingrédients :**
4 côtes de veau
2 cuil. à soupe de farine
2 tranches épaisses
  de jambon de Bayonne
2 poivrons confits
50 g de beurre
50 ml d'huile
100 ml de vin blanc
100 ml de crème fraîche
1 cube de bouillon
  de bœuf
beurre manié
50 ml de madère
sel, poivre

**Pour 4 personnes**
**Temps de préparation :** 15 mn
**Temps de cuisson :** 20 mn
**Boisson conseillée :** savigny-lès-beaune
**Difficulté : ★**

1. Salez, poivrez légèrement les côtes de veau et farinez-les. Coupez les poivrons en gros quartiers.

Le veau de qualité est nourri au lait de sa mère. Chez certains bouchers, dans les campagnes, vous verrez parfois indiqué dans la vitrine « veau sous la mère ». Vous serez alors assurée d'avoir une viande de premier choix, très pâle, avec une graisse d'un blanc satiné. Elle est tendre, délicate et très appréciée en cuisine. Vous pouvez également faire cette recette avec des côtes de porc. Dans tous les cas, veillez à ce que votre cuisson conserve bien le moelleux de la viande.
Évitez de trop laisser cuire le jambon de Bayonne, il serait trop salé. Un rapide aller-retour dans la poêle lui suffira parfaitement.
Vous pouvez aussi changer selon votre goût la garniture de légumes.
Servez chaud et bon appétit ! Ce plat peut se réchauffer mais il y perdra un peu en goût.
Ces côtes de veau apporteront à un repas de famille, en musique et en couleurs une note chaleureuse et sympathique.
Pour le sommelier, le moelleux du veau de lait, la tendreté de sa chair s'épanouiront accompagnés d'un fruité savigny-lès-beaune.

2. Dans une poêle, faites cuire à feu doux les côtes de veau avec l'huile et le beurre.

3. Réservez les côtes le veau dans un plat.
Faites revenir les quartiers de poivron et les tranches de jambon de Bayonne coupées en escalopes.

4. Disposez un quartier de poivron sur chaque côte de veau, ainsi que du jambon de Bayonne.
Dégraissez la poêle, versez le vin blanc et laissez réduire 2 mn.

# du chef

5. Versez la crème fraîche, fouettez soigneusement et laissez frémir quelques minutes.

6. Ajoutez le cube délayé dans 200 ml d'eau ou 200 ml de jus de viande, légèrement lié au beurre manié et accompagné de 50 ml de madère. Laissez cuire quelques minutes. Vérifiez l'assaisonnement et nappez les côtes de veau de cette préparation. Accompagnez-les d'un risotto.

# Poussins

1. Nettoyez correctement les poussins, flambez-les, coupez les ailerons et ficelez-les. Salez et poivrez. Nappez-les d'une couche de beurre et faites-les rôtir à four vif.

**Ingrédients :**
3 poussins
50 g de beurre
500 ml de crème fleurette
3 cuil. à soupe de porto
1 échalote
7 cuil. à soupe
  de crème de noisettes
175 g de noisettes
  entières
sel, poivre

**Pour 3 personnes**
**Temps de préparation :** 25 mn
**Temps de cuisson :** 30 mn
**Boisson conseillée :** volnay
**Difficulté :** ★

2. Versez dans une casserole la crème fleurette, le porto et laissez prendre ébullition.

En cuisine, le poussin est un jeune poulet d'environ 300 g et dont la chair délicate est subtilement savoureuse. C'est dire que là comme ailleurs, un poussin est toujours ce qu'il y a de plus tendre.

Pour la préparation de ce plat, nous avons utilisé des noisettes sèches. Pensez les choisir entières et veillez à ce que leur coque soit brillante, sans tache ni trou, ni fissure. En saison, les noisettes fraîches sont évidemment meilleures. Elles apporteront une succulence raffinée à la finition de votre plat.

Les noisettes sont très énergétiques et riches en lipides. Sèches, elles apportent également du soufre, du phosphore, du calcium et de la vitamine PP.

Cette recette ne présente aucune difficulté majeure. Flambez bien les poussins avant la cuisson pour éliminer le duvet.

Après cuisson, les os s'enlèveront facilement : avec un peu de dextérité et beaucoup de douceur vous ne risquerez pas d'abîmer la tendre chair.

Petites pommes rissolées ou petits pois accompagneront harmonieusement cette recette gourmande.

Si vous voulez pousser le raffinement à l'extrême, une salade croquante assaisonnée à l'huile de noisette et parsemée de noisettes concassées fera une garniture princière.

Notre sommelier vous conseille un volnay : le fruit de ce grand vin épousera merveilleusement la tendreté de la chair du poussin.

3. Hachez finement l'échalote et incorporez-la à la préparation précédente.

4. Incorporez la crème de noisettes, fouettez et laissez réduire à feu doux pendant une dizaine de minutes.

# aux noisettes

5. En fin de cuisson, salez, poivrez légèrement, montez la sauce au beurre et réservez-la.

6. Coupez les poussins en deux, retirez les os et dressez-les sur le plat de service accompagnés de la sauce ainsi que des noisettes concassées.

# Volaille de Bresse

1. Coupez la volaille en quatre, puis épluchez tous les légumes.

**Ingrédients :**

1 volaille de Bresse
  de 1,6 kg
4 petits poireaux
1 botte de carottes
1 botte de navets
1 petite botte d'asperges
1 courgette
4 pommes de terre
100 g de beurre
500 ml de crème fraîche
quelques branches
  d'estragon
sel, poivre

**Pour 4 personnes**
**Temps de préparation :** 1 h
**Temps de cuisson :** 40 mn
**Boisson conseillée :** moulin-à-vent
**Difficulté :** ★

2. Dans une cocotte, faites colorer la volaille avec 1 cuil. à soupe de beurre. Salez et poivrez.

Être de Bresse, pour une volaille, c'est le fin du fin. D'abord, n'est pas de Bresse qui veut, on est trié sur le volet. Et puis, c'est la vie de château, on est nourri de maïs pur. Alors, la chair après cuisson atteint la perfection. Si vous avez du mal à en trouver, bien sûr, un bon poulet landais ou une volaille fermière, même sans quartiers de grande noblesse, ne déçoivent jamais.

Cette recette ne présente aucune difficulté de réalisation à qui s'applique à suivre toutes les instructions.

Colorez soigneusement chaque face des quarts de volaille. Sachez arrêter à temps la réduction de la crème, juste au moment où elle nappe la cuillère. Ne tuez pas votre plat avec une sauce trop lourde. La crème réduite finie au cerfeuil est simplement sublime.

L'originalité de ce plat réside dans le fait qu'au fil des saisons, vous pourrez selon votre humeur, ou le choix du marché, le réaliser avec toutes sortes de légumes. Gardez en mémoire toutefois que la carotte, riche en vitamine A, est une alliée précieuse de la croissance. Ce qui n'est pas à négliger quand nos enfants font partie de la fête.

Pour le sommelier, il ne peut y avoir, pour ces splendides volailles de Bresse qu'un mariage de région et de raison avec un grand beaujolais, tel un moulin-à-vent.

3. Coupez les légumes épluchés en gros bâtonnets et tournez-les.

4. Une fois la volaille bien dorée, faites-la cuire à la vapeur, pendant 30 mn. Dégraissez la marmite de cuisson, puis versez 200 ml d'eau pour décoller les sucs. Incorporez la crème fraîche et laissez épaissir.

# en vapeur de légumes

5. À mi-cuisson de la volaille, enlevez le couvercle du cuit-vapeur et posez le compartiment contenant les légumes. Salez légèrement, recouvrez et laissez cuire 15 mn

6. Passez maintenant la sauce au chinois, puis montez-la avec le reste du beurre. Vérifiez l'assaisonnement et dressez la volaille, entourée des légumes. Nappez de la sauce et ajoutez les feuilles d'estragon.

# Mignon de veau aux

1. Avec l'aide d'un couteau, nettoyez le filet de veau, retirez le nerf et taillez-le en médaillons.

**Ingrédients :**
1 beau filet de veau
  de 800 g environ
4 courgettes
1 concombre
huile
100 ml de porto
1 cube de fond de volaille
50 g de beurre
sel, poivre en grains

**Pour 4 personnes**
**Temps de préparation :** 30 mn
**Temps de cuisson :** 20 mn
**Boisson conseillée :** chablis
**Difficulté : ★**

2. Taillez les courgettes en bâtonnets et faites-les cuire dans un cuit-vapeur. Salez et poivrez.

La tendreté du mignon de veau, qui porte bien son nom, ne manquera pas de vous plaire, à tous les coups. Mais les ris de veau, une bonne volaille, un filet de dinde, un râble de lapin, toutes ces viandes blanches siéront à cette recette.

N'oubliez pas de dégraisser, c'est-à-dire de jeter la graisse de cuisson, votre sauce n'en sera que plus légère, tout en restant goûteuse. Vérifiez l'assaisonnement, rectifiez si nécessaire : la bouche est au cuisinier ce que la boussole est au voyageur solitaire. Joseph Delphin vous recommande d'utiliser le poivre du moulin, car son arôme est bien meilleur.

Laissez évaporer l'eau des courgettes en ôtant simplement le couvercle du cuit-vapeur durant quelques minutes. Repassez le concombre 2 mn à la vapeur avant de servir.

Ce mignon de veau doit être présenté tout chaud. Les légumes peuvent être réchauffés, mais non la sauce.

Les carottes, c'est pour le décor, elles ne sont pas absolument nécessaires pour les saveurs gastronomiques.

Quel joli plat mignon, léger et à teneur garantie en vitamines, idéal pour un repas fait de tendresse !

Le veau aime le vin blanc : notre sommelier suggère le chablis.

3. Passez les courgettes au moulin à légumes, afin d'obtenir une mousseline et salez légèrement.

4. Épluchez le concombre, coupez-le en deux et épépinez-le. Coupez la chair en bâtonnets.

# concombre et courgettes

5. Portez une casserole d'eau salée à ébullition et pochez légèrement les bâtonnets de concombre.

6. Salez, poivrez les tournedos et faites-les cuire dans une poêle. Dressez-les sur un plat de service. Diluez le cube de fond de volaille dans 200 ml d'eau. Déglacez la poêle avec 100 ml de porto et laissez réduire. Incorporez le fond, montez au beurre et nappez.

# Tournedos de veau

**Ingrédients :**
1 filet de veau
1 branche de céleri
1 oignon
4 têtes de champignons
2 carottes
100 g de beurre
1 branche de thym
100 ml de madère
250 ml de crème fraîche
1 bouquet de ciboulette
gnocchi
sel, poivre

**Pour 4 personnes**
**Temps de préparation :** 40 mn
**Temps de cuisson :** 25 mn
**Boisson conseillée :** chianti
**Difficulté :** ★★

1. Dénervez correctement le filet de veau et coupez-le en tranches, de l'épaisseur d'un doigt. Épluchez et coupez en petits dés la branche de céleri, l'oignon, les têtes de champignons et les carottes.

D'où vient le nom de tournedos ? On ne sait pas vraiment, mais ce bonheur gastronomique qui nous est peut-être arrivé par surprise est aujourd'hui un plat qui s'affirme au grand jour.

Choisissez la partie basse du filet que vous couperez en tournedos. Respectez bien le temps de cuisson de chacun des légumes, puis laissez-les refroidir. La farce doit être froide pour éviter que la viande ne tourne.

Pour que les tournedos ne se rétractent pas à la cuisson, vous allez auparavant les aplatir. Ce plat se sert chaud, accompagné de gnocchi à la romaine. Si vous devez le réchauffer, faites-le à four moyen.

Vous savez qu'il existe différentes formes de gnocchi : à la parisienne, à l'alsacienne, à la piémontaise… Francis Dulucq a opté pour la façon romaine. Véritable coup de soleil sur votre plat, elle vous permet des variations infinies : en y incorporant divers légumes cuits pour jouer sur les couleurs, en changeant les fromages, sans oublier, bien sûr, fines herbes, aromates et condiments, qui parfument et personnalisent délicieusement. Laissez-vous guider par votre imagination et votre curiosité pour essayer toutes ces combinaisons exquises.

La tendreté du veau mérite un vin fruité et tendre. Notre sommelier vous conseille un côte-de-beaune ou un chianti.

2. Dans une poêle, faites cuire successivement les carottes, le céleri, l'oignon et, en fin de cuisson, les champignons avec 50 g de beurre. Salez, poivrez légèrement la préparation et saupoudrez de quelques brindilles de thym.

3. Ouvrez en 2 les tournedos de veau sans couper les extrémités. Garnissez-les d'1 cuil. à soupe de la préparation précédente refroidie. Pincez bien les bords.

4. Dans une sauteuse, faites cuire les petits tournedos de veau farcis, préalablement salés et poivrés, avec le reste de beurre. Conservez-les légèrement saignants.

# farcis aux légumes

5. Une fois l'ensemble cuit, dégraissez le plat de cuisson. Versez 200 ml de madère, laissez réduire de moitié.

6. Incorporez la crème fraîche et remuez énergiquement. Laissez la sauce épaissir. Salez et poivrez.
Passez la sauce au chinois, puis incorporez la ciboulette préalablement émincée. Nappez les tournedos de veau de cette préparation et accompagnez de gnocchi.

# Dinde de noël

1. Épluchez et coupez les champignons en petits dés. Faites de même avec les pommes. Faites revenir dans 2 poêles séparées contenant un peu d'huile. Dans une cocotte, faites revenir les échalotes préalablement hachées avec un peu de beurre. Puis versez le porto et le vin blanc. Laissez réduire de moitié.

2. Dénervez et retirez le fiel des foies. Saisissez-les vivement dans une poêle contenant un peu d'huile. Salez et poivrez. Laissez revenir 2 mn, puis égouttez-les. Coupez-les en petits dés.

**Ingrédients :**

1 dinde
200 g de champignons
  de Paris, 3 pommes
100 ml d'huile
50 g de beurre
10 échalotes
50 ml de porto
100 ml de vin blanc
200 g de foies de volaille
800 g de marrons
200 ml de lait, muscade
piment de Cayenne, 2 œufs
100 g de crème fraîche
1 oignon, 1 carotte
2 poireaux
1 cube de fond de veau
2 branches de céleri
sel, poivre

**Pour 8 personnes**
**Temps de préparation :** 45 mn
**Temps de cuisson :** 2 h
**Boisson conseillée :** savigny-lès-beaune
**Difficulté :** ★★

Un réveillon sans dinde aux marrons, n'est-ce pas comme un Père Noël qui trouverait sa hotte vide ?

En ce jour d'exception, il faut s'attendre à devoir rester longtemps dans la cuisine. Les préparatifs qui durent augmentent le plaisir d'autant et vous saurez que, ce faisant, vous agissez pour le bonheur de tous. Les différents ingrédients qui entrent dans la composition de cette recette doivent être coupés en petits dés.

Le lait ajouté à l'eau pour la cuisson des marrons leur apporte de la douceur et leur permet de conserver leur couleur. Le petit brin de céleri offre son délicieux parfum en plus. Arrosez très souvent la dinde en cours de cuisson, pour que sa chair ne se dessèche pas et reste divinement tendre. Au bout d'1 h 30, couvrez la volaille d'un papier d'aluminium. De la vapeur va se dégager, qui retombera dans le plat et contribuera également au moelleux de la chair.

Afin que les sucs ne caramélisent pas trop vite, démarrez la cuisson à feu doux et augmentez progressivement. Après, comme pour toutes les viandes rôties, laissez reposer la dinde un bon quart d'heure au chaud, sur la porte du four par exemple, elle deviendra savoureuse à souhait.

C'est la fête ! Remontez de la cave vos plus belles bouteilles de savigny-lès-beaune.

3. Épluchez les marrons et faites-les pocher dans un mélange de lait et d'eau salée. Incorporez à la réduction d'échalotes les dés de champignons et de pommes.

4. Incorporez les dés de foie de volaille et les marrons. Salez et poivrez. Ajoutez une pointe de muscade, de piment de Cayenne et remuez l'ensemble.

# aux marrons

5. Versez deux jaunes d'œufs et la crème fraîche dans la préparation précédente. Mélangez correctement. Épluchez les oignons et la carotte. Coupez-les en brunoise, ainsi que le poireau et le céleri. Flambez, videz et nettoyez soigneusement la dinde. Déposez la brunoise de légumes dans le plat de cuisson de la dinde.

6. Farcissez la dinde et ficelez-la. Salez, poivrez, arrosez d'un peu d'huile, de quelques noisettes de beurre, faites rôtir à four moyen 1 h 30. À mi-cuisson, délayez le cube de fond de veau dans 200 ml d'eau. Déglacez. Arrosez de temps à autre. Au moment de servir, passez le jus au chinois et servez accompagné de la sauce.

# Poularde à l'étouffée

1. Nettoyez, flambez et ficelez la volaille. Nettoyez et hachez les oignons et les carottes. Séparez les têtes d'ail.

**Ingrédients :**
1 poularde de 1,5 kg
2 oignons
1 carotte
1 bouquet garni
2 têtes d'ail à grosses gousses
thym frais
laurier frais
1 poignée de foin
100 g de beurre
1 l de fond de volaille
500 ml de crème fleurette
sel, poivre

**Pour 6 personnes**
**Temps de préparation :** 15 mn
**Temps de cuisson :** 1 h 30
**Boisson conseillée :** saint-joseph blanc
**Difficulté :** ★

2. Dans une casserole contenant un peu de beurre, faites revenir les oignons et les carottes avec du thym et du laurier.

Eh oui ! Cette étuvée originalement champêtre se fait avec le foin parfumé des talus. Ce bouquet odorant composé de labiées, de benoîtes et de mille autres fleurs multicolores, cueilli en juin, sera en octobre au mieux de ses parfums. Vous pouvez y cuire aussi du veau, du porc, ou le sandre que vous aurez peut-être eu le bonheur de pêcher. Dans certaines régions de montagne, on a l'habitude d'y faire sécher le jambon, ce qui lui donne une incomparable succulence. Le sainfoin risque d'être poussiéreux, lavez-le à grande eau, comme une ondée bienfaisante.

Faites un dosage raisonnable : une poignée suffit. Trop de sainfoin donnerait de l'amertume. Ajoutez une douzaine de gousses d'ail en chemise pour l'enrichir encore de plus de saveur rustique.

Pour vous assurer de la cuisson parfaite de la volaille, piquez une jointure avec une aiguille à tricoter sur la face interne pour ne pas abîmer la peau. La goutte qui va sortir doit être incolore. Si elle est rosée, votre poularde a encore besoin de 20 mn de cuisson en douceur.

Inconnue dans les villes et dans le monde urbain, voilà une cuisson originale, qui fleure bon les champs. Ce plat aux effluves bouleversants ravira les gourmets et émerveillera les gastronomes qui aiment conserver vivants les beaux gestes de la cuisine ancienne.

Notre sommelier suggère un saint-joseph blanc. Un vin très original aux arômes très prononcés de miel.

3. Salez et poivrez la poularde. Lavez le foin soigneusement à grande eau.

4. Déposez la poularde sur la garniture revenue.

# de sainfoin

5. Entourez la poularde avec le foin en mélangeant les gousses d'ail. Mouillez avec le fond de volaille (voir page 233) et laissez cuire à couvert au four pendant 1 bonne heure.

6. Retirez la volaille du four. Déposez un peu de foin dans le fond du plat de service. Passez le jus de cuisson au chinois. Laissez réduire légèrement. Incorporez la crème fleurette. Laissez épaissir. Rectifiez l'assaisonnement. Montez au beurre et servez en accompagnement de la poularde, avec les gousses d'ail en chemise.

# Poulet à

**Ingrédients :**
1 poulet de 1,5 kg
100 ml d'huile
4 échalotes
150 g de petits oignons
100 g de beurre
1 kg d'anguilles
250 g de champignons
 de Paris
500 ml de vin blanc
500 ml de crème fraîche
1/2 bouquet de ciboulette
sel, poivre

**Pour 8 personnes**
**Temps de préparation :** 30 mn
**Temps de cuisson :** 1 h 30
**Boisson conseillée :** sylvaner
**Difficulté :** ★★

1. Flambez, videz et nettoyez le poulet. Ficelez-le. Salez, poivrez et faites-le rôtir aux 3/4 dans une cocotte. Réservez-le. Épluchez et hachez l'échalote. Épluchez les petits oignons. Dans une cocotte, faites revenir échalotes et oignons à feu doux avec un peu de beurre.

Anguille et poulet, l'association est surprenante. Dans le cercle de tous vos amis vous serez sûrement la première à présenter ce mets original. Ce plat, traditionnel dans les bistrots d'écluse, est devenu aujourd'hui un classique rare, toujours très prisé dans les régions d'eau, qui sont nombreuses en France.

Comme le sang de l'anguille est amer, il vous faudra laisser dégorger sous l'eau courante les morceaux de poisson pour les débarrasser de ce goût prononcé.

Pour rendre votre plat plus léger, n'oubliez pas de dégraisser le jus. Laissez-le reposer, la graisse va remonter à la surface et vous pourrez l'enlever aisément à la louche ou à la cuillère.

À la place de l'anguille, vous pouvez prendre de la lamproie. Sans réelles difficultés, cette recette est toutefois assez longue à préparer. Organisez votre temps en conséquence : il vous faut 2 bonnes heures. Si vous souhaitez apprêter ce plat la veille, il vous faudra arrêter la préparation avant d'ajouter la crème. Réchauffez le lendemain, puis mettez la crème juste avant de servir. Sinon, après avoir bien écumé votre marmite, incorporez la crème fraîche et si vous voulez lier davantage votre sauce, 1 cuil. de Maïzena délayée avec un peu d'eau : c'est à vous de juger.

Ce poulet ne ressemble à aucun autre. Réservez-le pour un dimanche particulier, pour des amis curieux et connaisseurs.

Le sommelier vous conseille un sylvaner.

2. Dépouillez l'anguille, videz-la et détaillez-la en tronçons de 3 cm. Dans une poêle contenant de l'huile, faites saisir les tronçons. Salez et poivrez.

3. Ajoutez les morceaux d'anguille aux échalotes et aux petits oignons et laissez revenir à feu doux.

4. Incorporez les petits champignons de Paris à la préparation précédente. Versez le vin blanc.

# l'anguille

5. et 6. Ajoutez le poulet. Couvrez et laissez cuire à feu doux 15 mn environ. Retirez le poulet et réservez-le. Incorporez la crème fraîche à la sauce et remuez délicatement. Laissez épaissir à feu doux. Rectifiez l'assaisonnement. Retirez la garniture d'anguille,

de champignons et d'oignons que vous disposez autour de la volaille sur le plat de service. Laissez réduire la sauce de moitié. Montez-la avec le reste du beurre. Passez au chinois et servez avec la volaille saupoudrée de ciboulette hachée.

# Noisettes de lapereau

1. Faites tremper la veille les flageolets dans de l'eau froide, égouttez-les, puis faites-les cuire dans de l'eau contenant 1 bouquet garni, 1 carotte et 1 oignon piqué de clous de girofle. Laissez cuire à feu doux. En fin de cuisson, salez et poivrez légèrement.

**Ingrédients :**
2 râbles de lapin
 avec leur foie
200 g de flageolets
 demi-secs
1 bouquet garni
2 carottes, 2 oignons
quelques clous de girofle
100 ml d'huile d'arachide
romarin
1 cuil. à soupe d'huile d'olive
50 ml de vinaigre de xérès
2 gousses d'ail
thym, laurier
1 branche de basilic
100 ml de vin blanc
300 g de girolles
100 g de beurre
3 branches de persil plat
sel, poivre

**Pour 4 personnes**
**Temps de préparation :** 1 h 45
**Temps de cuisson :** 1 h 30
**Boisson conseillée :** vouvray sec
**Difficulté :** ★★★

2. Dans une poêle, faites légèrement revenir les foies de lapin, salés, poivrés et saupoudrés de romarin, avec 1 cuil. à soupe d'huile. Égouttez-les et réservez-les.

Colorée et pittoresque, cette recette recèle un trésor de parfums qui embaumeront la maison, bien avant de passer à table, alléchant ainsi toute la famille en lui promettant un bon repas qui chante.

Vous connaissez sûrement le pourpier doré à larges feuilles ou la claytone de Cuba, cultivée, malgré son nom, dans le nord de la France et aussi en Belgique. Cette herbe potagère, riche en magnésium, à la saveur légèrement piquante, peut se consommer en salade ou, quand les feuilles et les tiges sont jeunes, apprêtée comme des épinards.

Vous pouvez également, à la place des noisettes de lapereau, utiliser un blanc de volaille ou du foie de veau. Les parents, attentifs à la croissance de leurs enfants, apprécieront cette variante, car le foie de veau est riche en vitamine D.

Sylvain Duparc vous conseille, lorsque vous faites revenir les foies, de les garder rosés puisqu'ils vont continuer à cuire avec les râbles.

Laissez réduire doucement la sauce pour qu'elle s'imprègne bien de tous les parfums.

Ce plat se déguste chaud, mais l'été vous l'apprécierez froid. Ce mets délicat plaira à vos convives qui sauront en reconnaître toute l'originalité.

Notre sommelier vous conseille un vouvray sec, la saveur inimitable du cépage chenin, dont est issu ce vin, accompagnera ce plat avec bonheur.

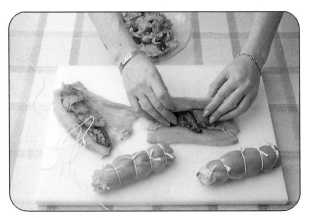

3. Désossez les râbles de lapin, salez-les et poivrez-le à l'intérieur, puis garnissez-les avec les foies. Roulez et ficelez les râbles.

4. Coupez 1 carotte et 1 oignon en brunoise. Concassez les os de lapin. Faites légèrement revenir les râbles à l'huile d'olive. Incorporez les os, la brunoise d'oignons et de carottes. Salez et poivrez légèrement. Faites cuire au four 10 mn.

# au pourpier

5. Après cuisson, retirez les râbles. Laissez bien colorer l'ensemble de la garniture. Dégraissez le plat, incorporez une gousse d'ail, le thym, le laurier, un peu de romarin, la branche de basilic et versez le vin blanc. Laissez réduire et ajoutez 200 ml d'eau. Laissez cuire à nouveau le jus de lapin.

6. Faites revenir les girolles dans une poêle contenant du beurre. Salez et poivrez. Incorporez l'ail et le persil hachés. Passez le jus de lapin au chinois, coupez les râbles en rondelles et accompagnez-les des flageolets, des girolles et d'une salade de pourpier.

# Côtes de veau

**Ingrédients :**
4 côtes de veau
1 botte de cébettes
 (oignons nouveaux)
200 g de beurre
1 pincée de sucre
600 g d'épinards frais
8 belles figues fleurs
1 cuil. à soupe
 d'huile d'arachide
50 ml de vin blanc
sel, poivre

1. Coupez le vert des cébettes, épluchez le reste, puis émincez finement les têtes.

**Pour 4 personnes**
**Temps de préparation :** 35 mn
**Temps de cuisson :** 25 mn
**Boisson conseillée :** saint-nicolas-de-bourgueil
**Difficulté : ★**

2. Dans une cocotte, rangez les cébettes en couronne, saupoudrez-les légèrement de sucre, ajoutez une goutte d'eau et laissez légèrement caraméliser dans le beurre.

En Provence, la figue fleur est le premier fruit du figuier, qui fleurit par deux fois. Évidemment, vous ne pourrez pas en trouver sur n'importe quel marché mais, si cela arrive, alors vous saurez qu'il vous faut sauter sur cette occasion.

Incisez les figues, mais très très légèrement, car elles s'ouvriront davantage à la cuisson. Sylvain Duparc vous conseille de choisir des côtes premières parce qu'elles sont meilleures.

Vous allez découvrir avec délices le succulent mariage des figues rôties et du veau. Notre chef nous assure que l'idylle marche aussi avec de la volaille ou du gibier à plumes.

Les pois mange-tout peuvent remplacer les épinards. Des laitues braisées conviendront également.

Si vous aimez les côtes de veau à la crème, il est possible d'ajouter 1 cuil. à soupe de crème fraîche dans le jus. Cette recette extrêmement simple fera honneur à vos repas les plus prestigieux. Les amateurs de grande cuisine sauront en apprécier l'originale distinction.

Servez chaud, plat de roi ne saurait attendre. Et vous, devenue cordon-bleu, recueillez tous les bravos que ce mets aux splendeurs incomparables ne manquera pas de vous valoir.

Le sommelier vous conseille de servir avec ce plat un saint-nicolas-de-bourgueil : ce grand vin rouge de la Loire est réputé pour son « nez » de poivron vert.

3. Dans une cocotte, faites légèrement revenir les épinards équeutés et lavés avec un peu de beurre, puis laissez-les cuire quelques instants. Salez, poivrez et réservez.

4. Nettoyez les figues, coupez les têtes, donnez 2 coups de couteau afin de les ouvrir, déposez une noisette de beurre sur chaque figue et faites-les rôtir au four quelques minutes.

# aux figues fleurs

5. Salez, poivrez les côtes de veau, puis faites-les cuire dans une poêle avec de l'huile. Retournez-les de temps à autre pour qu'elles restent moelleuses.

6. Après cuisson des côtes de veau, dégraissez la poêle, déglacez-la avec le vin blanc et laissez réduire. Dressez les côtes sur un plat, accompagnez-les des épinards, des figues fleurs et des cébettes. Nappez de jus et servez bien chaud.

# Côtelettes de perdreau

1. Plumez et videz les perdreaux. Désossez-les en conservant l'os des cuisses. Déposez-les dans un plat. Salez et poivrez. Laissez mariner avec le cognac, le porto et le vin blanc pendant 3 h.

**Ingrédients :**

2 beaux perdreaux
50 ml de cognac
100 ml de porto
100 ml de vin blanc
1 oignon, 2 carottes
thym, laurier
1 cuil. à soupe de concentré
  de tomates, 4 cèpes
200 g de chair à saucisse
100 g de foies de volaille
1 cuil. à soupe de crème
  fraîche, 1 œuf
2 crépines de porc
160 g de foie gras
  de canard cru, 3 échalotes
persil, 50 g de beurre, huile
100 ml de vinaigre de framboise
1 poignée de griotte
100 ml de jus de truffe, sel, poivre

**Pour 4 personnes**
**Temps de préparation :** 45 mn
**Temps de cuisson :** 40 mn
**Macération :** 3 h
**Boisson conseillée :** chinon
**Difficulté :** ★★★

C'est un vrai bouquet de saveurs que ce plat régional, qui va embaumer la maisonnée de parfums délicieux, tous plus appétissants les uns que les autres.
La seule difficulté réelle sera sans doute de chasser les perdreaux. Mais à l'impossible nul n'est tenu, et ce n'est pas parce que l'on est piètre chasseur que l'on n'a pas le droit de déguster du gibier. Consolez-vous, vous en trouverez en saison, chez votre volailler à qui vous demanderez par la même occasion de les désosser pour vous.
La même recette convient parfaitement aussi à des pigeons. Il faut compter un pigeon pour deux.
Conservez les carcasses que vous ferez revenir avec un peu de cognac du vin blanc, un bouquet garni. C'est un régal.
Ces côtelettes de perdreaux se servent très chaudes, accompagnées de cèpes farcis et de griottes.
Vos invités, déjà tout excités par les senteurs de votre cuisine, vont se lécher les babines avant même de commencer. Quand ils auront goûté à cet apprêt, ils rendront hommage à vos talents et vous seront reconnaissants de l'estime que vous leur témoignez en faisant partager ce bonheur gastronomique.
Notre sommelier vous conseille un chinon (château de la Grille) issu du cépage cabernet franc, ce vin, qui vieillit remarquablement bien présente de nombreuses similitudes avec de grands châteaux du Bordelais.

2. Dans une casserole, faites revenir les os de perdreaux. Incorporez l'oignon et les carottes coupés en brunoise, le thym et le laurier. Versez la marinade. Laissez cuire quelques instants et rajoutez 200 ml d'eau et le concentré de tomates. Coupez le pied des cèpes et faites revenir les têtes dans une poêle. Réservez-les.

3. Passez au mixer la chair à saucisse, les foies de volaille, ainsi que les cœurs et les foies de perdreaux. Salez et poivrez. Incorporez 1 jaune d'œuf, la crème fraîche et mixez bien l'ensemble.

4. Étalez les crépines sur une planche. Déposez 1 cuil. de farce, le filet de perdreau, 1 tranche de foie de canard, la cuisse du perdreau et terminez avec 1 cuil. à soupe de farce. Salez, poivrez et enveloppez dans la crépine.

# au vinaigre de framboise

5. Épluchez et hachez finement l'échalote et le persil. Coupez le pied des cèpes en petits dés et faites-les revenir dans une poêle avec du beurre. Une fois cuits, incorporez l'échalote et le persil aux pieds des cèpes. Laissez revenir et disposez 1 cuil. à soupe de la préparation sur chaque tête de cèpe.

6. Dans une poêle, faites cuire les côtelettes de perdreau à feu doux avec de l'huile et du beurre. Déposez-les sur le plat de service avec les têtes de cèpes. Dégraissez la poêle. Déglacez avec le vinaigre de framboise. Incorporez les griottes et pressez le jus au chinois sur la préparation. Laissez réduire. Montez au beurre et nappez les côtelettes de perdreaux.

# Crépinettes de lièvre

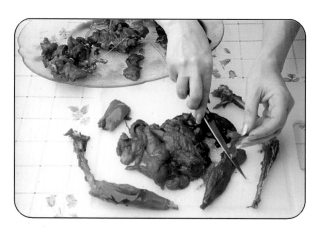

1. Désossez le lièvre. Épluchez et coupez en brunoise les carottes et les échalotes.

**Ingrédients :**

1 lièvre de 2 kg
2 carottes
4 échalotes
thym, laurier
500 ml de vin rouge
500 g de jambon cuit
500 g de lard gras
1 bouquet de persil
fines herbes
2 œufs
100 ml de lait
4 tranches de pain
  de mie sec
crépines de porc
100 ml d'huile
50 ml de cognac
80 g de beurre
sel, poivre

**Pour 4 personnes**
**Temps de préparation :** 55 mn
**Temps de cuisson :** 45 mn
**Boisson conseillée :** chinon rouge ou hermitage blanc
**Difficulté :** ★★

2. Dans une cocotte, faites rissoler les os du lièvre avec de l'huile. Incorporez la brunoise, le thym, le laurier et versez le vin rouge. Portez à ébullition, puis rajoutez 300 ml d'eau. Salez, poivrez et laissez cuire à feu doux.

Le lièvre est un gibier à la chair sanguine. C'est ce qui lui donne son goût sauvage, différent de celui de notre lapin de clapier à la chair blanche.

Vous devrez commencer par désosser et dénerver le lièvre. Bien entendu, si c'est un lièvre que vous achetez, vous pouvez demander à votre boucher de le faire pour vous. Mais n'oubliez pas de lui préciser de réserver les os. Ils serviront à confectionner votre fond.

Pesez la chair de lièvre, ici 500 g de lièvre désossé, et prenez le même poids de jambon blanc, et autant de lard gras.

Faites tremper la mie de pain dans du lait, 5 mn avant de la passer au mixeur.

Faites la cuisson au beurre, à feu très doux pour qu'il ne noircisse pas.

Le fond se réalise avec du vin rouge. Le mieux est de choisir le même vin que celui qui accompagnera votre plat. Maurice Dupuy, lui, a choisi un chinon.

Si vous voulez ajouter un parfum de plus à ce mélange savoureux, vous pouvez déglacer la poêle avec du cognac.

Tant que la cuisson n'est pas terminée, enveloppé dans les crépinettes, votre plat peut se conserver 1 ou 2 jours au réfrigérateur.

Servez très chaud, garni de galettes de pommes de terre ou de pâtes fraîches.

Chasseurs ou pas, les amateurs de bonne chère sauront apprécier cet élégant apprêt de gibier.

Lièvre et vin blanc feront bon ménage si vous choisissez un vin suffisamment élégant et viril, comme un hermitage blanc par exemple, ou un chinon rouge, si vous voulez offrir le vin qui a servi à la préparation du plat.

3. Mixez la chair du lièvre. Ajoutez le jambon, le lard gras, le persil, les fines herbes, les œufs, salez et poivrez. Ajoutez le pain préalablement trempé dans un peu de lait. Mixez l'ensemble et réservez.

4. Étalez la crépine. Déposez la valeur de 2 cuil. à soupe de farce. Roulez-les. Salez, poivrez et faites-les cuire à feu doux dans une poêle avec de l'huile.

# aux fines herbes

5. Dégraissez la poêle et passez le fond au chinois. Faites-le réduire.

6. Incorporez 50 ml de cognac à la sauce. Flambez quelques instants et montez la sauce au beurre. Nappez le plat de service, déposez les crépinettes et servez chaud.

# Ballottine de faisan

1. Plumez, flambez, videz et désossez le faisan en évitant de percer la peau.

**Ingrédients :**
1 coq faisan
2 oignons
2 carottes
1 branche de céleri
1 poireau
2 navets
2 cubes de fond de volaille
250 g de gorge de porc
150 g de lard gras
1 truffe
1 cuil. à café
 de quatre-épices
50 ml de cognac
100 ml de madère
150 g de foie gras
1 barde de lard
sel, poivre

**Pour 8 personnes**
**Temps de préparation :** 40 mn
**Temps de cuisson :** 1 h 30
**Boisson conseillée :** pouilly-fumé
**Difficulté :** ★★★

2. Portez une marmite d'eau à ébullition. Ajoutez les oignons, les carottes, le céleri, le poireau, les navets coupés en morceaux. Ajoutez les os du faisan et les cubes de fond de volaille. Laissez cuire à feu doux.

Voici encore une recette régionale qui nous transmet la richesse de la gastronomie solognote, qui est à elle seule un pan entier du patrimoine culinaire français. Région de chasse et de gibier, la Sologne a multiplié les apprêts pour rehausser la saveur naturelle de ces produits du terroir.

La simplicité maîtrisée et généreuse de ce plat a exalté des générations de gourmets. Renouez avec la haute tradition et vous découvrirez les trésors qu'elle recèle.

Robert Dupuy vous conseille de faire désosser le faisan par le volailler. Ce n'est pas très compliqué, mais cela vous demanderait du temps et, femmes modernes et pressées, nous n'en disposons pas toujours.

Cette ballottine reprend le principe de la terrine, mais dans une cuisson pochée. Vous pouvez aussi choisir de la faire traditionnellement au four, plutôt que dans un bouillon. Ici, la farce est faite avec du porc, mais vous pouvez la faire avec des viandes moins grasses, telles que la chair de volaille. Le porc vous permet d'avoir une farce qui n'est pas trop sèche.

Cette ballottine se sert comme une terrine, accompagnée de cornichons et d'une salade tendrement craquante.

Vous pourrez la conserver 8 jours au froid et de 15 jours à 3 semaines dans son jus de cuisson. Vous imaginez tous les pique-niques que cela vous permet d'envisager. Notre sommelier vous conseille un vin issu des jardins de la France, un pouilly-fumé : ce vin blanc baigné par la Loire est incomparable d'élégance.

3. Passez la gorge de porc au hachoir avec le lard gras.

4. Salez et poivrez la farce. Incorporez la truffe hachée, le quatre-épices, le cognac et le madère. Mélangez bien.

# abraysienne

5. Étalez une barde de lard de la longueur de la ballottine, déposez au centre le foie gras et des morceaux de truffe. Roulez la barde et réservez. Déposez le faisan désossé sur une barde de lard. Recouvrez-le de la farce précédente, placez le boudin de foie gras au centre. Roulez la galantine dans un torchon et ficelez-la correctement.

6. Faites cuire la galantine dans sa cuisson pendant 1 h 30 environ. Égouttez-la lorsqu'elle est cuite. Ficelez-la de nouveau pour bien la serrer et laissez-la refroidir dans sa cuisson. Au moment de servir, coupez de fines tranches et servez bien frais avec de la salade.

# Chapon et sa mousse

1. Videz, flambez, nettoyez le chapon et ficelez-le.

**Ingrédients :**

1 chapon
2 cubes de fond de volaille
1 bouquet garni
300 g de carottes
2 oignons
1 tête d'ail
300 g de navets
200 g de poireaux
1 céleri
4 pommes de terre
4 tomates
100 ml de madère
250 ml de crème fraîche
250 g de mousse
 de foie gras
100 g de beurre
sel, poivre

**Pour 8 personnes**
**Temps de préparation :** 20 mn
**Temps de cuisson :** 1 h 30
**Boisson conseillée :** musigny rouge
**Difficulté : ★**

2. Portez une marmite d'eau à ébullition. Incorporez les 2 cubes de fond de volaille écrasés, le bouquet garni, le chapon et laissez cuire à feu doux pendant 1 h.

Le chapon est par excellence la volaille du repas de fête, pour l'abondance de sa chair, due à l'accumulation de graisse, en couches successives dans les muscles, et pour sa très grande délicatesse. Jeune coq castré et spécialement engraissé, remarquablement tendre, le chapon était connu depuis l'Antiquité. L'élevage, coûteux, avait dû être un moment abandonné, mais il a heureusement repris en Bresse et dans les Landes. Il fait l'objet d'un soin tout particulier et d'un contrôle sévère : le chaponnage hormonal est désormais interdit depuis 1959.

Cet animal gras à souhait et voluptueusement tendre peut atteindre jusqu'à 6 kg. Il est donc à réserver à une tablée généreuse, aux bons coups de fourchette.

La cuisson pochée est une cuisson mijotée, comme un pot-au-feu, avec beaucoup de tendresse et d'amour. Comptez 1 h 30 à petits bouillons, et nul besoin de surveillance.

Ce pot-au-feu de volaille, tout comme celui du bœuf, adore les légumes. Ne vous privez donc pas d'offrir un beau bouquet de vitamines. Pour que les légumes donnent toute leur richesse, il ne faut pas les cuire trop longtemps. Ajoutez-les en fin de cuisson, ils dégageront leurs arômes et parfumeront le chapon. Cet aristocrate de basse-cour méritait la subtilité d'une mousse de foie gras, en grand seigneur de chapon.

Si vous avez une bande de joyeux gourmets, à l'appétit solide mais exigeant, présentez-leur ce mets royal qu'ils sauront honorer.

Il est normal qu'au rendez-vous d'un des plus grands plats de France, se trouve un des plus grands vins du monde : le musigny rouge.

3. Épluchez les légumes. Tournez les pommes de terre. Nettoyez les poireaux et écrasez l'ail.

4. Ajoutez les légumes. Laissez-les cuire avec le chapon, puis retirez-les en les conservant très légèrement croquants. Pelez les tomates.

# de foie gras

5. Retirez le chapon de sa cuisson et réservez-le. Versez le madère. Faites réduire la cuisson aux 3/4. Ajoutez la crème fraîche et laissez épaissir à feu doux.

6. Montez la préparation avec la mousse de foie gras et 100 g de beurre. Dressez la volaille sur un plat de service. Entourez-la des légumes et accompagnez-la de la sauce. Servez très chaud.

# Filet de lièvre

1. Désossez les râbles de lièvre de façon à récupérer les filets.

**Ingrédients :**

2 râbles de lièvre
100 ml d'huile
1 oignon
1 carotte
thym, laurier
1 branche de persil
1 cuil. à café
 de baies de genièvre
500 ml de vin blanc
150 g de crépines
500 ml de lait
110 g de farine de maïs
1 pincée de muscade
1 œuf
4 figues
2 cuil. à soupe de beurre
100 ml de crème fraîche
sel, poivre

**Pour 4 personnes**
**Temps de préparation :** 35 mn
**Temps de cuisson :** 45 mn
**Boisson conseillée :** hermitage rouge
**Difficulté :** ★★

Le chasseur, lui, fait lever le lièvre de son gîte et la cuisinière, elle, lèvera les filets de ce gibier estimé pour les apprêter selon cette recette. Autrement dit, vous allez désosser le râble, cette partie charnue qui s'étend du bas des côtes au début des cuisses. Il vous faudra compter un râble pour deux, et donc avoir recours à votre marchand de gibier si votre mari n'a pas son compte de lièvres dans sa besace.

Pour faire la sauce, concassez les os de lièvre avec le genièvre, les carottes, les oignons et le bouquet garni, le tout arrosé de vin blanc. Ce fond de gibier, réduit jusqu'à devenir sirupeux, est un vrai régal. Ensuite, crémez-le et montez-le au beurre. Le râble cru se conserve 2 jours au réfrigérateur mais, la cuisson faite, il doit être consommé immédiatement.

Servez bien chaud avec des galettes de maïs et des figues fraîches que vous aurez passées au four avec une noix de beurre.

Les baies de genièvre, à la saveur poivrée et légèrement résineuse, sont le condiment indispensable des apprêts de gibier comme le lièvre.

Subtilement parfumé, avec sa garniture fruitée, ce plat vous donnera l'occasion de fêter gastronomiquement la saison de la chasse.

Notre sommelier vous suggère de faire la rencontre d'un hermitage rouge, maître de la vallée du Rhône.

2. Concassez les os. Faites-les revenir dans une cocotte avec 50 ml d'huile et ajoutez les oignons et la carotte coupés en cubes, le thym, le laurier, le persil et la moitié des baies de genièvre.

3. Versez le vin blanc. Laissez prendre une ébullition. Salez, poivrez. Rajoutez 400 ml d'eau et laissez réduire de moitié à feu doux.

4. Enveloppez chaque filet dans de la crépine. Salez, poivrez. Portez le lait à ébullition. Incorporez la farine de maïs en pluie. Salez, poivrez. Ajoutez la muscade, remuez afin d'obtenir une pâte épaisse. Hors du feu, incorporez un jaune d'œuf. Étalez la préparation sur une plaque en une couche d'1,5 cm. Laissez refroidir.

# au genièvre

5. Dans une poêle, faites cuire les filets de lièvre avec de l'huile. Retournez-les de temps en temps. Coupez la tête des figues en croisillon. Déposez une noix de beurre et faites-les rôtir 2 mn au four.

6. Découpez à l'emporte-pièce des petits ronds de farine de maïs, faites-les cuire dans une poêle avec du beurre. Dégraissez la poêle de cuisson des filets de lièvre. Passez au chinois le jus dans la poêle. Laissez réduire, incorporez la crème fraîche, le reste de genièvre et montez au beurre. Nappez les filets et servez très chaud accompagné des figues et du maïs.

# Salmis de canard sauvage

**Ingrédients :**
1 canard sauvage
150 g de foie gras
3 oignons
300 g de carottes
2 cuil. à soupe d'huile
150 g de beurre
thym, laurier
50 ml de cognac
100 ml de madère
200 ml de vin blanc
200 g de petits oignons
200 g de champignons
1 citron
1 cuil. à soupe de sucre
sel, poivre

**Pour 4 personnes**
**Temps de préparation :** 30 mn
**Temps de cuisson :** 35 mn
**Boisson conseillée :** chinon
**Difficulté : ★★**

1. Plumez, flambez, videz et nettoyez soigneusement le canard. Coupez les oignons et 2 carottes en brunoise. Dans une cocotte contenant un peu d'huile et du beurre, faites revenir le canard. Une fois bien coloré, ajoutez les légumes, le thym et le laurier. Salez et poivrez.

À partir de la recette régionale traditionnellement préparée au vin rouge, Robert Dupuy vous propose ici un salmis nouveau, fait avec du vin blanc.

Si vous avez reçu le canard comme un trophée de chasse, vous aurez à prévoir une étape supplémentaire, qu'habituellement, sans doute, vous confiez à votre volailler : il vous faudra plumer, vider, brider l'oiseau avant de pouvoir songer à l'apprêter.

Le principe du salmis, ou du « salmigondis », est de commencer à faire rôtir le canard puis, à mi-cuisson, de le désosser. Ainsi, la viande ayant en partie cuit avec les os ne se rétractera pas trop.

Cette recette s'adapte parfaitement à tous les gibiers à plumes : faisan, perdreau et caille. Après avoir incorporé la mousse de foie gras, vous devez éviter de faire bouillir la sauce, c'est le secret de sa réussite. Faites varier l'accompagnement selon vos goûts : pommes vapeur, pâtes ou riz, purée de céleri. Le gibier s'allie bien à une assez large variété de légumes et vous pourrez jouer à volonté sur les variantes colorées.

Vous pourrez réchauffer ce plat à feu très doux, en traitant avec beaucoup de ménagement la sauce délicatement fragile.

Pour fêter la saison de la chasse, pour ouvrir l'automne en beauté, offrez ce plat odorant qui comblera les fins amateurs de gibier.

Notre sommelier vous conseille un chinon. Il aura le goût du bordeaux la couleur du bordeaux, mais ça sera bien un chinon !

2. Flambez la préparation avec le cognac, versez le madère et laissez cuire encore 5 mn. Versez le vin blanc.

3. Retirez le canard, levez les filets, les cuisses et concassez la carcasse. Ajoutez la carapace au jus. Terminez la cuisson 10 mn à feu doux.

4. Épluchez les petits oignons. Recouvrez-les d'eau. Incorporez le sucre, une noisette de beurre et laissez glacer les oignons. Dans une cocotte, faites revenir les champignons. Ajoutez les oignons glacés, puis les cuisses et les ailes de canard. Laissez étuver.

# à l'orléanaise

5. Recouvrez la préparation avec le jus de canard passé au chinois et terminez la cuisson. Épluchez le reste des carottes et pochez-les.

6. Retirez le canard et sa garniture de la sauce. Portez-la à ébullition. Incorporez le foie gras pour la lier. Remuez énergiquement. Ajoutez une pointe de beurre et 1/2 jus de citron. Dressez le canard sur le plat de service. Nappez de la sauce et versez avec la garniture.

# Pâté chaud de canard en

1. Émincez les cèpes et faites-les revenir dans la moitié de la graisse de canard. Salez et poivrez. Faites cuire le magret de canard. Chauffez les gésiers, puis émincez-les.

2. Épluchez les pommes de terre et coupez-les en fines lamelles, le plus large possible. Disposez-les en rosace sur un film alimentaire. Déposez la rosace dans une plaque beurrée. Chauffez très légèrement la rosace, afin qu'elle devienne souple. Retirez-la à l'aide d'une spatule et déposez-la sur un film alimentaire.

**Ingrédients :**
1 magret de canard
100 g de cèpes
50 g de graisse de canard
200 g de gésiers
  de canard confits
400 g de grosses
  pommes de terre
30 g de beurre frais
2 échalotes
1 gousse d'ail
1 cuil. à café de persil
  haché
50 g de foie gras
200 ml de sauce madère
sel, poivre

**Pour 4 personnes**
**Temps de préparation :** 45 mn
**Temps de cuisson :** 20 mn
**Boisson conseillée :** volnay
**Difficulté :** ★★★

L'originalité de cette recette est de proposer à ce pâté un écrin, non pas de pâte feuille-tée, mais de pommes de terre. Il vous faudra les couper en lamelles et les préchauffer au four afin qu'elles deviennent assez souples pour envelopper le pâté et les manipuler facilement.

Une fois épluchée, la pomme de terre noircit très vite, sauf au four à micro-ondes. Si vous en avez un, utilisez-le pour assouplir les lamelles de pommes de terre qui garderont ainsi toute leur blancheur. Pour faciliter la fermeture du pâté, il vous faut dresser les lamelles en une rosace bien fermée en son centre. Elles vont se coller entre elles sous l'action de la chaleur, ce qui vous permettra de les glisser facilement sur le film alimentaire, à l'aide d'une spatule.

Chauffez légèrement les gésiers de canard pour les débarrasser entièrement de la graisse qui les entoure.

Serrez bien le film alimentaire sur vos pâtés pour leur donner une forme arrondie. Ce « pâté chaud de canard en croûte de pomme de terre » est une vraie merveille et vous serez fière de l'offrir à votre table. Comme notre chef, vous aimerez en lui son côté profondément Sud-Ouest, habillé d'une touche de Limousin. Le sommelier a choisi pour accompagner ce mets un volnay (domaine du Marquis d'Angeville). Ce grand vin de la côte de Beaune, au nez de petits fruits rouges, est à déguster avec émotion

3. Hachez finement les échalotes et faites-les aller sans coloration. Ajoutez la gousse d'ail hors du feu, ainsi que le persil haché. Disposez sur la rosace de pommes de terre les tranches de magret de canard, les gésiers, le foie gras, un peu de hachis d'échalotes et terminez le tout par une nouvelle couche de magret de canard.

4. Repliez les bords de la rosace sur la garniture. Procédez de même pour les 3 autres pâtés chauds.

# croûte de pomme de terre

5. Refermez complètement le film alimentaire en le serrant. Vous donnerez ainsi aux pâtés leur forme ronde.

6. Développez les pâtés de canard. Faites-les cuire à feu moyen, dans une plaque avec le reste de la graisse de canard. Retournez de temps à autre, salez et poivrez. Servez chaud, accompagné d'une sauce madère (voir page 229).

1. Parez soigneusement les joues de bœuf, retirez le maximum de nerfs et coupez-les en 2 gros pavés.

**Ingrédients :**
2 noix de joues de bœuf
   de 1 kg
1 pied de veau
5 oignons
3 carottes
100 ml d'huile
1 bouquet garni
1 cuil. de concentré
   de tomates
4 gousses d'ail
1 cuil. à soupe de farine
1 l de jus de viande
1,5 l de vin rouge
sel, poivre

**Pour 4 personnes**
**Temps de préparation :** 20 mn
**Temps de cuisson :** 3 h
**Boisson conseillée :** madiran
**Difficulté :** ★

2. Nettoyez soigneusement le pied de veau. Flambez-le. Désossez-le.

La joue de bœuf est un morceau de choix quand il s'agit de cuire à l'étouffée, longuement et à feu doux, car elle sait rester tendre et ne pas se dessécher.

Traditionnellement, cette recette exigeait une marinade de 24 h dans le vin rouge, assorti d'un bouquet garni, d'ail écrasé, d'oignons et de carottes émincées. Ensuite, c'est dans cette même marinade délicieusement parfumée que devait mijoter la joue de bœuf. Comme aujourd'hui nous avons souvent moins de temps à consacrer à la cuisine, Roland Durand a choisi de supprimer cette attente qui pourrait décourager vos bonnes volontés. Il vous conseille également, toujours dans l'idée de vous alléger la tâche, de demander à votre boucher de parer la joue de bœuf et de désosser le pied de veau.

Votre plat sera plus léger si, après la cuisson de la viande et des légumes vous jetez l'excédent d'huile avant de remettre le tout sur le feu. Veillez à ce que la sauce soit assez abondante pour bien recouvrir la viande. La cuisson doit se faire en douceur, à petits bouillons.

Pour donner à ce plat l'accompagnement qu'il mérite notre chef vous suggère une mousseline aux choux de Bruxelles. Elle est simple à réaliser, et, pour qu'elle soit bien douce, ajoutez 200 ml de crème fraîche et du beurre.

Cette joue de bœuf braisée est encore meilleure réchauffée.

Notre sommelier vous conseille un madiran (château-de-montus). Avec ses arômes tendres et vanilles, ce grand vin sera le parfait complément de ce beau plat d'hiver.

3. Émincez les oignons et les carottes. Dans une cocotte, faites revenir les joues de bœuf avec de l'huile chaude.

4. Retirez les joues de bœuf de la cocotte et faites revenir la garniture d'oignons et de carottes, le bouquet garni, l'ail et le concentré de tomates.

# bœuf braisée

5. Incorporez à la préparation précédente les pieds de veau et saupoudrez de farine. Remuez et laissez cuire l'ensemble quelques instants. Arrosez de vin rouge. Flambez. Incorporez le jus de viande.
Salez, poivrez et laissez cuire 3 h.

6. Retirez les joues de bœuf ainsi que le pied de veau. Passez la sauce au chinois. Coupez le pied de veau en petits dés et remettez ceux-ci dans la sauce, avec les joues de bœuf. Laissez cuire quelques instants et servez très chaud.

# Poulet fermier

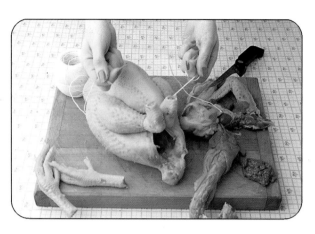

1. Flambez correctement le poulet, videz-le, puis ficelez-le bien.

**Ingrédients :**
1 poulet de 1,2 kg environ
150 g de beurre
100 ml de calvados
  Père Magloire
300 ml de crème fraîche
3 pommes granny smith
sel, poivre

**Pour 4 personnes**
**Temps de préparation :** 20 mn
**Temps de cuisson :** 30 mn
**Boisson conseillée :** moulin-à-vent
**Difficulté :** ★

2. Dans un poêlon, salez, poivrez la volaille et faites-la rôtir au four avec un peu de beurre clarifié.

La vallée d'Auge est une splendide région de Normandie, où abondent les pommiers. C'est aussi le nom d'un apprêt de poulet typique du pays, avec les produits du terroir : calvados et crème fraîche.

Quand les pommes ont un peu rissolé, ajoutez 50 ml d'eau, pour éviter qu'elles ne noircissent.

Pour une cuisson parfaite du poulet, procédez selon les conseils d'Odile Engel : couchez la volaille sur sa patte droite avant de la porter au four. Laissez-la ainsi une quinzaine de minutes puis retournez-la pour la positionner sur sa patte gauche.

Arrêtez le four une dizaine de minutes avant la fin de la cuisson et laissez votre volaille dans le four, cela évitera que la chair ne saigne au moment du découpage. Tel est le secret des bons poulets moelleux.

Les cuisses sont plus longues à cuire, vous les terminerez à la poêle en les faisant revenir quelques minutes.

Pour atteindre la perfection en matière de goût, notre chef vous recommande de choisir un calvados très vert, de moins de deux ans d'âge.

Notre sommelier vous suggère un moulin-à-vent. Le fruit de ce grand beaujolais est un peu exubérant mais, ici, il équilibrera parfaitement la volaille et la crème en apportant sa note légèrement acidulée.

3. Aux 3/4 de la cuisson, coupez le poulet en 4, dégraissez le poêlon et replacez les quarts de poulets.

4. Chauffez correctement le poêlon, déglacez-le avec les 100 ml de calvados Père Magloire et flambez correctement la volaille.

# vallée d'Auge

5. Incorporez la crème fraîche, terminez la cuisson de la volaille pendant 5 mn environ et réservez-la au chaud. Faites de nouveau réduire quelques instants la crème fraîche, passez la sauce au chinois, montez-la avec 50 g de beurre et réservez-la.

6. Épluchez les pommes, coupez-les en quartiers et faites-les revenir au beurre. Dressez votre volaille chaude sur le plat de service, nappez-la de la sauce et accompagnez de quartiers de pommes rôties.

# Palette fumée

1. Composez le bouquet garni : thym, laurier et persil. Épluchez l'oignon, les carottes et coupez-les en brunoise.

**Ingrédients :**
1 palette de porc fumée
  de 800 g
1 branche de thym
3 feuilles de laurier
3 branches de persil
1 oignon
2 carottes
200 ml de vin blanc
750 ml de cidre
100 ml de crème fraîche
50 g de beurre
sel, poivre

**Pour 6 personnes**
**Temps de préparation :** 10 mn
**Temps de cuisson :** 1 h 10
**Boisson conseillée :** cidre demi-brut
**Difficulté : ★**

La palette, sur le porc, est la pièce qui entoure l'omoplate. C'est une viande maigre, tendre, aux fibres longues, qui s'accommode rôtie ou cuite dans un bouillon comme élément de potée. Odile Engel vous suggère d'opter pour une palette préalablement désossée : vous éviterez ainsi les problèmes de découpage, tout en gardant la saveur particulière du morceau.

La rusticité de cette recette, le parfum acidulé du cidre vont donner à votre cuisine une bouffée d'air campagnard qui, pour les ménagères citadines, sera un agréable dépaysement.

Le temps de cuisson de la palette varie selon sa grosseur. Pour une palette désossée, comptez 1 h 15. N'oubliez pas d'ajouter le bouquet garni, thym, laurier, persil : c'est un trio antiseptique, diurétique et riche en vitamine C. Retirez la viande une fois cuite de son bouillon car un séjour prolongé lui ferait perdre de sa saveur.

Cette recette parfumée ne peut que vous séduire par sa simplicité. Ce plat du terroir, tendre et chaleureux, accompagné de galettes de pommes de terre ou de modestes pommes vapeur, fera plaisir à votre maisonnée. Il donnera à vos repas entre amis beaucoup d'allant et de sympathie.

Notre sommelier vous rappelle qu'il ne faut jamais négliger le grand plaisir d'un repas au cidre. Il vous conseille donc un cidre demi-brut fermier.

2. Remplissez une marmite d'eau, incorporez la brunoise d'oignon et de carottes, le bouquet garni, salez et poivrez.

3. Versez les 200 ml de vin blanc et portez à ébullition.

4. Plongez la palette fumée et laissez cuire à feu doux pendant 1 h environ. Écumez de temps à autre.

# au cidre

5. Dans une poêle, versez le cidre et faites-le réduire de moitié. Salez et poivrez légèrement.

6. Incorporez la crème fraîche et laissez épaissir 5 à 6 mn. Montez la sauce légèrement au beurre et servez-la en accompagnement de la palette de porc fumée.

# Pigeonneaux rôtis

**Ingrédients :**

4 pigeonneaux de 250 g
huile
3 échalotes
50 g de beurre
50 g de champignons
  de Paris
50 ml de porto
1 cube de bouillon
  de bœuf
500 ml de crème fleurette
1 pincée de safran
200 g de pâte feuilletée
1 œuf
sel, poivre

**Pour 4 personnes**
**Temps de préparation :** 45 mn
**Temps de cuisson :** 40 mn
**Boisson conseillée :** côte-rôtie (domaine E. Guigal)
**Difficulté :** ★★

1. Flambez, videz et bridez les pigeonneaux et faites-les rôtir aux 3/4 dans une plaque. Épluchez et hachez les échalotes. Faites-les revenir dans une casserole avec 1 cuil. à soupe de beurre. Hachez les champignons et ajoutez-les aux échalotes. Laissez revenir l'ensemble à feu doux. Salez et poivrez.

La tourterelle, le jeune perdreau, la bécasse vous offriront autant de variations pour ce plat plein de vivacité.

Gilles Étéocle vous conseille de garder le pigeonneau rosé à la première cuisson puisqu'il doit recuire ensuite. La cuisson au four doit être forte : le pigeonneau serait trop cuit si elle était trop lente. Contrairement aux plats en croûte, le feuilletage est très cuit. Cuit au dernier moment, il n'enveloppe pas complètement le pigeonneau mais le recouvre. L'idée du safran fait toute l'originalité de cette recette.

L'association n'est pas ordinaire et libère des plaisirs nouveaux, tout en colorant somptueusement votre plat.

Création de notre chef, cette recette utilise un produit du terroir, le pigeon, élevé en grand nombre dans le Forez.

L'accompagnement de maïs suggéré par le chef nous a absolument convaincus. Flan, galette ou épi, il saura conserver à ce plat raffiné son côté champêtre.

Une fois encore, vous allez être étonnée par la facilité de réalisation de cette recette. Au moment de servir, vous serez souriante et parfaitement disponible.

Faire partager ce bonheur gastronomique qui ne vous aura imposé aucune contrainte sera un plaisir sans mélange.

La vallée du Rhône produit de nombreux vins qui aiment les épices. Profitez-en ! Suivez les conseils de notre sommelier et débouchez un côte-rôtie (domaine E. Guigal).

2. Désossez les pigeonneaux. Réservez-les et concassez les carapaces.

3. Replacez les os de pigeonneaux dans la plaque à rôtir et laissez-les rissoler. Dégraissez la plaque et déglacez-la avec le porto. Délayez le cube de bouillon dans 200 ml d'eau et versez dans la plaque.

4. Après réduction d'un quart du jus versez la crème fleurette et le safran. Laissez cuire à feu doux 5 à 6 mn. Passez la sauce au chinois. Rectifiez l'assaisonnement et réservez. Montez-la au beurre juste avant de servir.

# au safran

5. Déposez 1 cuil. à soupe de duxelles de champignons sur chaque demi-pigeonneau.

6. Étalez la pâte feuilletée (voir page 227) très finement et recouvrez chaque demi-pigeonneau d'une petite abaisse de pâte. Dorez à l'œuf battu, faites cuire à four chaud 10 mn et servez accompagné de la sauce au safran.

# Fricassée de veau aux

**Ingrédients :**
1 jarret de veau (750 g)
2 oignons
2 carottes
clous de girofle
2 cuil. à soupe de beurre
1 bouquet garni
2 cuil. à soupe de farine
250 ml de vin blanc
1 cube de fond de veau
400 g de girolles
1/2 bouquet de cerfeuil
500 ml de crème fleurette
sel, poivre

**Pour 3 personnes**
**Temps de préparation :** 20 mn
**Temps de cuisson :** 1 h 30
**Boisson conseillée :** château-patris (saint-émilion)
**Difficulté :** ★

1. Épluchez les oignons et les carottes. Coupez 1 oignon et les carottes en brunoise. Piquez les clous de girofle dans l'oignon entier. Désossez le jarret de veau et coupez-le en morceaux. Incorporez la moitié du beurre dans une cocotte et faites revenir le veau.

2. Ajoutez l'oignon, la carotte en brunoise, le bouquet garni et laissez revenir l'ensemble.

Pendant longtemps, la fricassée était courante et de ce fait considérée comme peu distinguée. C'était une manière d'apprêter le fricot, savoureux certes mais populaire.

Aujourd'hui, la fricassée est de retour, avec toute l'estime qui lui est due. Cette recette classique qui a su conserver sa finesse et son goût généreux ne manquera pas de plaire aux nostalgiques du bon vieux temps qui se confond souvent avec l'enfance.

Pas de difficultés pour ce plat traditionnel, mais des possibilités de l'adapter en choisissant du jarret de bœuf ou, pourquoi pas, du pilon de dinde.

La viande du jarret est pleine de nerfs, il vous faudra donc la dénerver sommairement avant de la faire cuire. N'oubliez pas qu'il faut bien colorer la viande avant d'y ajouter les légumes. Si vous les mettiez trop tôt, ils brûleraient.

Quand viande et légumes sont revenus, il va vous falloir « singer », c'est-à-dire ajouter la farine qui servira à lier votre sauce. Pour enlever toute trace d'acidité, laissez réduire le vin le plus possible. Pour donner une touche parfumée, vous pouvez parsemer la sauce, juste avant de servir, de basilic ou d'estragon finement ciselé.

Comme toutes les viandes en sauce, ce plat se réchauffe. On dit même qu'il y gagne en saveur.

Notre sommelier vous conseille un château-patris (saint-émilion). La souplesse de ce cru du Libournais, dit-il, est un élément important dans votre choix.

3. Saupoudrez de farine. Remuez et laissez pincer quelques secondes. Salez et poivrez.

4. Versez le vin blanc et le cube délayé dans 1,5 litre d'eau. Remuez et laissez cuire pendant 1 h à couvert et à feu doux.

# champignons des bois

5. Nettoyez soigneusement les girolles et faites-les revenir dans une poêle contenant le reste du beurre. Salez et poivrez, puis réservez.

6. Décantez le veau de sa garniture et réservez-le. Versez la crème fleurette. Remuez et laissez cuire 5 petites minutes à feu doux. En fin de cuisson, passez au chinois. Remettez le veau dans la sauce. Donnez une ébullition et dressez sur le plat de service accompagné des girolles et parsemé de feuilles de cerfeuil.

# Pigeons farcis

1. Ciselez finement sur une planche la sauge, le persil, la ciboulette et le cerfeuil.

**Ingrédients :**
2 pigeons
800 g de brocolis

**Farce :**
20 g de sauge
30 g de persil
20 g de ciboulette
10 g de cerfeuil
100 g de poitrine fumée
4 échalotes
2 œufs
200 g de mie de pain
100 g de beurre
sel, poivre

**Pour 2 personnes**
**Temps de préparation :** 30 mn
**Temps de cuisson :** 35 mn
**Boisson conseillée :** aloxe-corton
**Difficulté :** ★★

2. Désossez soigneusement les pigeons en les déposant sur le dos, ou faites-les désosser par votre volailler.

Le pigeon a connu des périodes de grands fastes et sut même conquérir le royal palais de Louis XIV qui l'adorait aux petits pois.

À tire-d'aile, son voyage nous entraîne aujourd'hui jusqu'en Rouergue, région célèbre pour sa haute gastronomie. Le voilà apprêté selon la tradition et farci d'un savant mélange d'herbes et de poitrine fumée.

Le pigeon a un avantage sur la tourterelle ou le poussin, par ailleurs excellents substituts : il se trouve aisément, tout au long de l'année, il possède toutes les qualités du poulet, peu gras, très digeste, il est excellent pour les malades. Ce plat ne présente aucune difficulté majeure d'autant que vous pourrez confier le désossage de la viande aux bons soins de votre boucher.

Portez néanmoins votre attention sur l'assaisonnement. Les lardons salent déjà beaucoup et vous risqueriez de gâcher votre farce en rajoutant plus de sel que nécessaire.

Les brocolis al dente lui siéront à merveille mais aussi beaucoup d'autres légumes verts et même un succulent gâteau de pommes.

Nous vous conseillons de ne pas le réchauffer. Vous en apprécierez toute la saveur si vous le dégustez juste à sa sortie du four, après une cuisson de 20 mn, pas plus.

Pour le sommelier, le fruité de l'aloxe-corton s'harmonise superbement avec la finesse de la chair du pigeon.

3. Coupez la poitrine fumée en petits lardons, puis faites-les fondre dans une poêle. Hachez finement les échalotes et faites-les revenir avec les lardons.

4. Incorporez aux 200 g de mie de pain, l'ensemble des herbes ciselées, les 2 œufs, les lardons revenus, ainsi que l'échalote. Mélangez énergiquement l'ensemble. Salez très légèrement et poivrez.

# « Rouergat »

5. Salez et poivrez légèrement l'intérieur des pigeons, puis garnissez-les de la farce. Reconstituez les pigeons et beurrez-les légèrement avant de les envelopper dans une feuille de papier aluminium. Faites-les rôtir. Après 15 mn de cuisson, retirez le papier aluminium et terminez la cuisson.

6. Dès que les pigeons sont cuits, dégraissez le plat de cuisson dans lequel vous verserez ensuite, 200 ml d'eau pour obtenir un jus. Dans une casserole d'eau salée, faites cuire les brocolis. Dressez les pigeons en les entourant des brocolis. Servez le tout bien chaud.

# Noisettes d'agneau

**Ingrédients :**
2 carrés d'agneau
200 g de courgettes
200 g de carottes
200 g de navets
400 g de pleurotes
3 oignons nouveaux
  entiers
50 g de beurre
100 ml de jus de viande
  ou 1 cube de bouillon
  de bœuf
sel, poivre

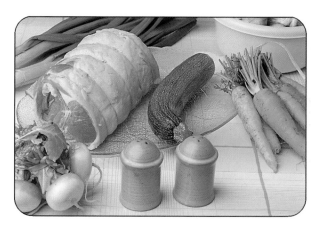

**Pour 4 personnes**
**Temps de préparation :** 35 mn
**Temps de cuisson :** 20 mn
**Boisson conseillée :** pauillac
**Difficulté : ★**

1. Désossez entièrement les carrés d'agneau. Dégraissez-les, retirez le nerf et coupez les filets en petits tournedos.

2. À l'aide d'une petite cuillère, taillez des petites boulettes ou olivettes de courgettes, carottes et navets. Nettoyez les pleurotes et émincez-les, ainsi que les fanes d'oignons.

L'agneau blanc ou « laiton » qui vous est couramment proposé entre Noël et juin a reçu une alimentation riche, toute à base de lait. Sa viande ferme et rose foncé devient à la cuisson d'une tendreté exquise.

La noisette se découpe dans le filet ou le carré et vous pouvez demander à votre boucher de l'éplucher, la désosser, la dégraisser.

Si votre goût vous y porte, vous pouvez choisir du filet mignon de veau.

La cuisson des noisettes doit être rapide pour qu'elles soient saisies et joliment dorées mais encore rosées à l'intérieur.

Pour la beauté du plat et le plaisir de l'œil, tournez les légumes, c'est-à-dire façonnez-les à l'aide d'un couteau pour leur donner une forme régulière, ou encore, comme nous l'avons fait, utilisez une cuillère à pommes parisiennes ou à olivettes.

Pleurotes ou chanterelles en accompagnement seront les bienvenus. Quand ces noisettes vont apparaître, nichées au cœur d'une rosace de légumes, elles vous vaudront des compliments, c'est certain.

Le sommelier vous suggère de faire classique mais splendide avec un pauillac et, en particulier, un château-pontet-canet.

3. Dans des casseroles séparées contenant de l'eau légèrement salée, faites cuire les courgettes, les carottes et les navets. Conservez-les légèrement croquants. Égouttez l'ensemble et rafraîchissez-le.

4. Dans une poêle contenant une partie du beurre, faites revenir les pleurotes émincés. Salez, poivrez, puis incorporez les fanes d'oignons émincés.

# duchesse

5. Faites cuire les noisettes d'agneau, préalablement salées et poivrées, en les conservant saignantes.

6. Dressez le plat de service en intercalant les pleurotes, les carottes, les navets et les courgettes passés au beurre. Dressez ensuite les noisettes d'agneau, nappez-les d'un peu de jus de viande (voir page 230) et servez l'ensemble bien chaud.

# Blanquette

1. Désossez le cabri et coupez la viande en gros cubes.

**Ingrédients :**

1,2 kg de cabri
1 gros oignon
2 clous de girofle
1 bouquet garni, 1 carotte
1 branche de céleri
2 gousses d'ail
1 blanc de poireau
100 g d'oignons grelots
2 cuil. à soupe de beurre
1 pincée de sucre
100 g de champignons
  de Paris
2 cuil. à soupe de farine
30 cl de crème fraîche
1 œuf dur, persil
2 cubes de fond de viande
1 citron
2 branches d'estragon frais
sel, poivre

**Pour 6 personnes**
**Temps de préparation :** 20 mn
**Temps de cuisson :** 1 h 10
**Boisson conseillée :** saint-émilion Gaillard
**Difficulté :** ★

Le cabri est le joli nom donné au chevreau. Au même titre que l'agneau de lait, il n'apparaîtra chez votre boucher que de la mi-mars à début mai. Ne ratez pas l'occasion : pour Pâques, vous pourrez le préparer à la place du traditionnel « agneau pascal ».
Charles Floccia vous conseille d'ajouter au gigot les côtelettes qui apporteront à votre bouillon une force nouvelle.
N'oubliez pas d'écumer pendant la cuisson.
Cette recette ne nécessite pas d'utiliser le cabri entier, aussi notre chef vous propose-t-il de mitonner au four les parties restantes, que vous pourrez servir accompagnées de petites pommes de terre, d'oignons et d'herbes.
Servez chaud, en sachant que, demain, vous pourrez le réchauffer. En accompagnement, le chef vous soumet l'idée d'un riz créole.
Cette variante insolite de la très classique blanquette ne manquera pas d'exciter l'appétit curieux de vos invités qui en apprécieront le fin goût citronné.
Notre sommelier vous conseille un saint-émilion Gaillard, car il saura résister à l'estragon coquin qui, paraît-il, déshabille les vins.

2. Portez une marmite d'eau à ébullition, ajoutez l'oignon piqué de clous de girofle, le bouquet garni, la carotte, le céleri, l'ail et le blanc de poireau. Salez.

3. Ajoutez la viande de cabri. Portez à ébullition. Laissez cuire à feu doux en écumant de temps à autre. Épluchez les petits oignons et faites-les cuire avec un peu d'eau, de beurre et une pincée de sucre.

4. Coupez les champignons en quartiers et faites-les revenir dans une poêle avec un peu de beurre. Décantez le cabri et réservez-le. Passez le jus de cuisson au chinois. Mélangez le reste du beurre à la farine et liez la sauce avec cette préparation.

# de cabri

5. Incorporez la crème fraîche et laissez cuire une dizaine de minutes à feu doux. Hachez l'œuf dur, ainsi que le persil.

6. Émulsionnez la sauce à l'aide d'un mixeur, incorporez le jus d'un citron, les feuilles d'estragon puis ajoutez les cubes de fond de viande. Laissez mijoter et servez accompagné des oignons, des champignons et des œufs durs hachés.

# Pot-au-feu

**Ingrédients :**
4 cuisses de canette
4 gousses d'ail
300 g de gros sel
2 cubes de fond
  de volaille
1 branche de céleri
1 cuil. à café
  de poivre en grains
1 branche de thym
1 botte de carottes
2 poireaux
4 navets

1. Épluchez les gousses d'ail. Écrasez-les légèrement et frottez-en les cuisses de canette.

**Pour 4 personnes**
**Temps de préparation :** 15 mn
**Temps de cuisson :** 2 h
**Macération :** 12 h
**Boisson conseillée :** moulin-à-vent
**Difficulté : ★**

2. Faites mariner les cuisses de canette dans le gros sel pendant une nuit.

Cette variante agréable du classique pot-au-feu ne manquera pas de vous séduire par sa finesse et son originalité. Ici, les légumes suivent la tradition mais, si l'envie vous prenait de quitter les sentiers battus et de bousculer la convention alors, brocolis, pois gourmands, cœurs d'artichauts apporteraient une note coquine qui saurait émoustiller les amoureux de l'insolite.

Comme pour le petit salé, le gros sel attendrira la viande et permettra de réduire le temps de cuisson à 2 h. Dès que les cuisses vous paraissent tendres faites cuire les légumes dans le bouillon, en respectant le temps de cuisson de chaque variété.

Si vous avez du temps, vous pourrez essayer cette recette avec de l'oie, mais il faudra compter 3 h, minimum, de cuisson.

Pour la touche finale, Denis Franc vous suggère de servir avec une sauce que vous obtiendrez en prenant la valeur d'une louche de bouillon : vous faites réduire, vous montez au beurre, vous y ajoutez du basilic ou de l'estragon haché, et vous nappez les canettes. C'est un régal !

Ce plat se sert chaud mais, si vous avez vu grand, vous pourrez le réchauffer le lendemain, il n'en sera que meilleur.

Offrez ce grand, solide et chaleureux repas aux appétits vigoureux et exigeants. Le beaujolais, et particulièrement le moulin-à-vent, est de tous les vins le plus apte à se mêler, tout en les rehaussant, aux saveurs sucrées des légumes.

3. Délayer les cubes de fond de volaille dans une marmite d'eau. Incorporez les cuisses de canettes lavées.

4. Ajoutez le céleri, le poivre en grains, la branche de thym et laissez cuire à couvert et à feu doux pendant 2 bonnes heures.

# de canette

5. Épluchez les carottes, les poireaux, les navets et tournez l'ensemble des légumes.

6. En fin de cuisson des cuisses de canette, incorporez les légumes. Laissez cuire 10 mn et servez accompagné des légumes.

# Caille en bécasse

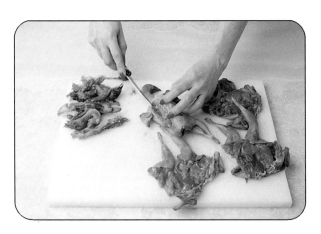

1. Nettoyez et videz les cailles. Tranchez-les par le dos, puis désossez-les.

**Ingrédients :**
4 cailles
1 échalote
1 gousse d'ail
50 g de beurre
50 ml d'huile
300 ml de bordeaux
 rouge
50 ml de cognac
1 cube de bouillon
quelques branches
 de persil
sel, poivre

**Pour 4 personnes**
**Temps de préparation :** 40 mn
**Temps de cuisson :** 30 mn
**Boisson conseillée :** sancerre rouge
**Difficulté : ★**

2. Hachez finement l'échalote et écrasez l'ail. Dans une poêle, faites revenir les cailles avec un peu d'huile et du beurre, puis réservez-les. Incorporez les os, l'échalote, l'ail et laissez bien revenir. Salez et poivrez.

Saviez-vous que la caille sauvage que vous voyez parfois voleter dans nos plaines d'avril à octobre pouvait venir d'Extrême-Orient ? Mais, ce volatile sauvage se faisant malheureusement de plus en plus rare, il vous faudra probablement vous consoler avec une de ses sœurs d'élevage.

« En bécasse », ici, n'implique pas que vous vous livriez à quelques tours de magie pour métamorphoser la caille, mais tout simplement que vous la désossiez. Quant au « fumet des vignes » annoncé par ce titre alléchant, vous avez deviné que sous cette périphrase se cache ce que d'autres appellent le jus de la treille, en un mot, le vin…

Jean-Marie Gaudry vous recommande de cuire les cailles rapidement, pas plus de 10 mn. Passé ce temps, leur chair deviendrait caoutchouteuse.

Lorsque vous déglacez au cognac la poêle où ont coloré les os, grattez bien tous les sucs collés aux parois, ils renferment des saveurs et des parfums qui rendront votre sauce plus goûteuse.

Les variantes de cette recette sont nombreuses, puisque vous pouvez la réaliser avec du pigeon ou du coquelet et choisir de multiples garnitures : gratin dauphinois, champignons ou petits légumes.

Cette « caille en bécasse au fumet des vignes », simple à préparer, sera très prisée par les amateurs de petit gibier et constituera pour les autres une savoureuse initiation.

Notre sommelier vous suggère un sancerre rouge.

3. Une fois cuites, retirez les cailles et réservez-les. Laissez colorer les os. Dégraissez, puis déglacez avec les 50 ml de cognac et les 300 ml de vin rouge. Laissez cuire quelques instants.

4. Faites fondre le cube de bouillon dans 100 ml d'eau et versez sur la préparation. Laissez cuire 15 mn à feu doux.

# au fumet des vignes

5. Passez maintenant la cuisson au chinois et portez-la de nouveau à ébullition.

6. Au moment de servir, incorporez les 50 g de beurre, montez la sauce, nappez les cailles et servez bien chaud.

# Poulet aux

**Ingrédients :**
1 poulet de 1,2 kg
2 échalotes
50 g de beurre
12 belles langoustines
100 ml de cognac
1 pincée de piment
  de Cayenne
1 cuil. à soupe
  de concentré de tomates
400 ml de vin blanc sec
150 ml de crème fraîche
sel, poivre

**Pour 4 personnes**
**Temps de préparation :** 20 mn
**Temps de cuisson :** 30 mn
**Boisson conseillée :** saint-péray
**Difficulté :** ★

1. Épluchez et hachez finement les échalotes. Dans une cocotte, faites-les blondir dans 1 cuil. à soupe de beurre.

Voici une variante originale et succulente du très célèbre poulet aux écrevisses, entré en haute cuisine dès le XVIIᵉ siècle.

À moins que vous n'habitiez sur le littoral, vous aurez peu de chance de pouvoir vous procurer des langoustines vivantes, car elles ne résistent pas longtemps hors de leur élément. C'est pourquoi elles sont, la plupart du temps, vendues cuites, ce qui ne leur évite pas de subir un examen de fraîcheur : veillez à ce qu'elles aient l'œil bien noir et la carapace rose et brillante. Vous pourrez les remplacer par des écrevisses ou des gambas.

Jean-Marie Gaudry vous recommande de choisir un poulet de Bresse à pattes blanches, car c'est ce qu'il y a de mieux.

Vous pourrez inventer diverses garnitures pour accompagner votre plat : julienne de légumes ou riz sauvage sauront tout aussi bien conserver à ce mets sa mélodie gourmande.

Délicieusement original, cet apprêt donnera au poulet du dimanche une saveur des plus inattendues.

Ce joyeux poulet aux langoustines exprimera toute sa gaieté si vous l'arrosez d'un saint-péray, un côtes-du-rhône blanc qui saura créer l'accord parfait entre volaille et crustacés.

2. Coupez le poulet en quarts et faites-le revenir sur la tombée d'échalotes. Salez et poivrez légèrement.

3. Ajoutez maintenant les langoustines et laissez suer quelques instants.

4. Versez le cognac et flambez abondamment la préparation. Salez, poivrez et saupoudrez d'une pincée de piment de Cayenne.

# langoustines

5. Incorporez le concentré de tomates, salez et poivrez. Arrosez le tout de vin blanc et portez à ébullition. Puis, versez la valeur de 200 ml d'eau et laissez cuire à feu doux 15 mn. Retirez les langoustines et réservez-les. Laissez cuire le poulet encore 15 mn.

6. Retirez le poulet de la sauce. Passez-la au chinois. Incorporez la crème fraîche et fouettez. Laissez réduire quelques instants. Au moment de servir, incorporez le reste de beurre dans la sauce, rectifiez l'assaisonnement si nécessaire et servez le poulet très chaud accompagné de langoustines.

# Caillettes de

**Ingrédients :**
400 g de sanglier
200 g de foie de sanglier
100 g de foie de porc
1 morceau de crépine
carottes
oignons
1 branche de thym
2 branches de persil
1 feuille de laurier
5 baies de genièvre
50 ml de vinaigre de vin
500 ml de vin rouge corsé
200 g de blettes
200 g d'épinards
sel, poivre

**Pour 4 personnes**
**Temps de préparation :** 40 mn
**Temps de cuisson :** 30 mn
**Macération :** 48 h
**Boisson conseillée :** morgon
**Difficulté :** ★

1. Désossez le sanglier, coupez-le en morceaux et mettez-le dans une marmite, avec les foies de porc et de sanglier. Émincez les carottes et les oignons. Incorporez-les avec le thym, le persil et le laurier. Salez, poivrez, ajoutez les baies de genièvre, le vinaigre, versez le vin rouge, remuez et laissez mariner au réfrigérateur pendant 48 h.

Les caillettes sont à l'origine des crépinettes à base de hachis de porc et de verdure. Jean-Marie Gaudry pense d'ailleurs que le mot lui-même vient du patois ardéchois « caillou » qui signifie cochon.

Les caillettes se faisaient donc dans la région au moment où l'on tuait le cochon dans les campagnes, de janvier à mars.

Cette recette demande calme et sérénité. Il va vous falloir une certaine patience avant que les viandes ne soient imprégnées des différentes saveurs qui composent la marinade au vin. Trois jours à mariner, c'est long. Mais notre chef vous donne un petit truc pour calmer votre impatience : chauffez le vin et le vinaigre avant de les verser sur la viande et, dans ce cas, votre épreuve ne durera plus que 12 h seulement.

N'oubliez pas de bien saler l'eau qui servira à blanchir les blettes et les épinards, c'est ce qui permet de fixer la chlorophylle et donc de conserver une belle couleur verte à vos légumes.

Hachez viande et légumes à la grosse grille pour avoir de gros morceaux. La crépinette posée au fond du plat de cuisson va permettre aux caillettes de cuire dans la graisse de porc, qui s'harmonise parfaitement avec la chair du sanglier.

Cette variante sauvage est un plaisir en plus. Mais vous pouvez aussi la réaliser avec du lièvre. Ces caillettes se dégustent chaudes ou froides, toujours accompagnées d'une salade. À la saison de la chasse, c'est un plaisir.

Notre sommelier vous propose un excellent vin, capiteux et corsé : un morgon.

2. Dans une cocotte d'eau salée, faites blanchir les blettes, égouttez-les et rafraîchissez-les. Faites la même chose pour les épinards.

3. Après 48 h, hachez la viande de sanglier, ainsi que les foies de porc et de sanglier. Incorporez également la moitié de votre garniture.

4. Concassez grossièrement les épinards et les blettes Incorporez-les à la farce, mélangez et rectifiez l'assaisonnement si nécessaire.

# sanglier

5. Étalez la crépine. Déposez dessus la valeur de 2 cuil. à soupe de farce. Roulez-les correctement.

6. Dans une poêle chaude, déposez les parures de crépine. En fondant, elles dégageront de la graisse qui cuira les crépines. Enfournez ensuite 30 mn servez très chaud.

# Civet de porcelet

1. Épluchez les échalotes et les oignons, émincez-les et faites-les revenir au beurre dans une cocotte. Coupez l'échine en cubes, puis faites roussir.

**Ingrédients :**
800 g d'échine de porc
100 g de poitrine salée (lardons)
4 échalotes
1 bouquet garni
1 gousse d'ail
2 cuil. à soupe de miel
16 petits oignons blancs
50 g de beurre
1 cuil. à soupe de sucre
8 têtes de champignons de Paris
1 cuil. à soupe de farine
1 l de saint-joseph
persil
poivre en grains
sel, poivre

**Pour 4 personnes**
**Temps de préparation :** 25 mn
**Temps de cuisson :** 45 mn
**Boisson conseillée :** saint-joseph
**Difficulté : ★**

2. Ajoutez le bouquet garni, la gousse d'ail, puis 2 cuil. à soupe de miel et laissez revenir l'ensemble.

Voici un civet tout à fait original qui a troqué le traditionnel gibier à poil pour du porcelet. Le vin que notre chef a choisi de faire entrer dans sa composition est un vin rouge ardéchois, d'appellation côtes-du-rhône, qui est corsé et bien coloré.

Notre chef vous recommande de goûter avant de rectifier l'assaisonnement du civet. Les lardons sont en général très salés et suffisent souvent au besoin du plat en sel. Les échalotes, lardons et dés de porc doivent revenir sans brunir, donc réservez-leur une cuisson douceur.

L'adjonction de sucre va renforcer la saveur naturelle des petits oignons et éviter qu'ils ne brûlent. Après avoir versé le saint-joseph, remuez énergiquement pour éviter les grumeaux que peut occasionner la farine saupoudrée sur les morceaux de viande.

Cette recette énergétique, riche en vitamine C et en potassium, nécessite une cuisson relativement longue mais ne présente aucune difficulté de réalisation.

Vous pouvez enjoliver ce plat en le servant agrémenté de petits croûtons en forme de cœur.

Ce civet de porc au saint-joseph est l'authentique recette des mariniers du Rhône. Offrez cette traversée en pays ardéchois les jours de grand froid, vous verrez qu'elle saura vous réchauffer.

Pour garder à ce plat toute sa personnalité, notre sommelier vous recommande de le déguster avec un saint-joseph.

3. Dans une casserole, faites cuire les petits oignons avec 100 ml d'eau, le beurre et le sucre. Faites-les revenir avec les champignons et réservez-les. Une fois la viande bien revenue, incorporez 1 cuil. à soupe de farine et remuez.

4. Versez le vin rouge, remuez et laissez cuire à feu doux environ 40 mn. Salez si besoin et poivrez la poitrine salée en petits dés. Faites-les blanchir. Laissez-les revenir et incorporez-les aux petits oignons et champignons.

# au saint-joseph

5. En fin de cuisson, décantez le civet de porcelet. Dressez les morceaux sur un plat, passez la sauce au chinois et laissez-la réduire d'un quart.

6. Montez la sauce avec 50 g de beurre, incorporez les petits oignons et lardons et servez le tout très chaud.

# Bécasse aux pruneaux

**Ingrédients :**
4 bécasses
huile
100 g de beurre
20 pruneaux
150 g de foie gras
1 morceau de céleri-rave
3 grosses pommes
 de terre
1 carotte
1 oignon
120 ml d'armagnac
1¹ᐟ² cube de fond brun
sel, poivre

**Pour 4 personnes**
**Temps de préparation :** 30 mn
**Temps de cuisson :** 30 mn
**Boisson conseillée :** clos vougeot
**Difficulté :** ★★

1. Nettoyez très soigneusement les bécasses.
Ficelez-les. Salez et poivrez. Faites-les rôtir dans
une cocotte contenant un peu de beurre et de l'huile.

La bécasse s'est taillée une solide réputation gastronomique. C'est un des rares oiseaux qui peut se cuire sans être vidé (on ôte seulement le gésier). La Reynière, célèbre gastronome français, vante la « rôtie » qu'on en fait.

Ce gibier d'eau ne se trouve qu'en hiver et il faut être un bon fusil pour le chasser à cause du mimétisme de son plumage feuille-morte.

Comme pour les autres gibiers à plumes, Roland Gauthier vous conseille, pour une réussite parfaite, une cuisson en deux temps : 20 mn au four, puis vous laissez reposer dans le jus, couvert, et vous repassez au four 10 mn avant de servir. La chair aura une saveur digne du tour de main d'un grand chef.

Le pruneau, très nutritif, est conseillé aux sportifs et aux enfants. Il est aussi indiqué contre la constipation.

Les noyaux que nous mettons dans la sauce apportent un goût supplémentaire, qui enrichira celui de la pulpe du fruit.

Cette recette peut également s'accommoder avec des sarcelles ou des perdreaux.

La bécasse se chasse en mars-avril et d'octobre à novembre, mais c'est en automne qu'elle est la plus grasse et la plus tendre. Aussi, offrez le luxe de cette recette originale et régionale, qui s'harmonise magnifiquement aux couleurs de l'arrière-saison.

Le sommelier vous suggère un clos-vougeot.

2. Faites gonfler les pruneaux dans de l'eau tiède.
Dénoyautez-les. Malaxez le foie gras, puis, à l'aide
d'une poche et d'une douille, farcissez les pruneaux.
Réservez les noyaux.

3. Épluchez le céleri et les pommes de terre. Coupez-
les en fines tranches et, à l'aide d'un emporte-pièce,
découpez des cercles.

4. Épluchez la carotte, l'oignon et coupez-les en cubes.
Aux 3/4 de la cuisson des bécasses, ajoutez les cubes.
Laissez revenir à feu doux. Ajoutez les noyaux.

# et armagnac

5. Délayez le fond brun en cube dans 200 ml d'eau et portez à ébullition. Flambez les bécasses avec l'armagnac. Versez le fond. Laissez étuver quelques instants. Retirez les bécasses. Passez le jus au chinois et réservez.

6. Dans une poêle, faites cuire le céleri et les pommes de terre préalablement salés et poivrés avec un peu d'huile et du beurre. Dressez les bécasses accompagnées des légumes et des pruneaux farcis, légèrement étuvés. Nappez de jus et servez chaud.

# Oie en laqué

1. Nettoyez correctement l'oie, salez-la et poivrez-la. Badigeonnez-la de beurre et d'huile, puis faites-la rôtir au four avec ses abats coupés en morceaux (cou, ailerons). En fin de cuisson, réservez l'oie, dégraissez la plaque et versez le sucre.

2. Délayez le cube de fond de volaille dans 300 ml d'eau chaude. Le sucre caramélisé, versez le vinaigre et laissez réduire quelques instants.

**Ingrédients :**

1 oie de 2 kg
3 g de stigmates de safran
50 g de sucre
100 ml de vinaigre
200 g de beurre
1 cube de fond de volaille
1 carotte
1 céleri
200 g de pommes de terre
1 branche de persil
2 œufs
huile
sel, poivre

**Pour 6 personnes**
**Temps de préparation :** 40 mn
**Temps de cuisson :** 1 h 30
**Boisson conseillée :** bourgogne aligoté
**Difficulté :** ★

Avec ses fastes culinaires et ses splendeurs exotiques, l'Orient a souvent inspiré les chefs épris d'horizons lointains et de grandes découvertes. Inspirée du célèbre canard laqué, voici une oie dont la saveur originale et la beauté ne vont pas manquer de vous séduire. Le safran était connu des Égyptiens et ensoleillait les jardins de Louxor. Il faisait également la beauté des plaines d'Israël et embaumait le jardin de Salomon. Homère mentionne qu'il servit, avec le lotus et l'hyacinthe, de lit à Jupiter, et les Latins racontent qu'on le répandait sous les pas des empereurs et sur la couche des jeunes mariés. Ce « roi des végétaux », comme l'appelait Lémery, originaire d'Orient, est cultivé en Europe depuis longtemps pour ses triples vertus, culinaires, magiques et thérapeutiques.

Le sucre, que vous rajoutez aux trois quarts de la cuisson après avoir dégraissé le plat, va donner à votre sauce une douceur étonnante. Quand tout est bien cuit, lustrez l'oie tout entière, au four, pour lui donner le miroir éclatant de la laque précieuse.

Vous pouvez accompagner cette variante succulente du canard à l'orange d'un riz madras, garni de raisins et d'amandes effilées.

Le Soleil Levant dans vos assiettes, quoi de plus rayonnant pour fêter le réveillon ? Vos amis d'ici ou d'ailleurs seront touchés par cette note exotique qui leur souhaitera la bienvenue de façon fort savoureuse.

Le sommelier vous suggère un bourgogne aligoté.

3. Versez le fond et laissez cuire 2 à 3 mn.

4. Passez la sauce au chinois. Incorporez le safran. Laissez réduire 1 mn. Nappez l'oie de cette préparation. Replacez-la au four chaud en l'arrosant toutes les minutes avec la sauce jusqu'à obtention d'un beau glaçage.

# de safran

5. Épluchez la carotte, le céleri, les pommes de terre et coupez-les en fine julienne. Mélangez l'ensemble, salez et poivrez. Incorporez les œufs.

6, Dans une poêle, faites cuire la préparation précédente, additionnée de persil haché avec un peu de beurre et d'huile, en forme de galette. Servez l'oie accompagnée du reste de la sauce et de la galette de légumes.

# Perdreaux au raifort

**Ingrédients :**
4 perdreaux rouges
1 morceau de poitrine
 fumée
1 oignon
1 carotte
200 g de beurre
huile
1 chou frisé
500 g de pommes de terre
1 petit pot de raifort
sel, poivre

1. Plumez, flambez, nettoyez correctement les perdreaux. Déposez sur chacun une tranche de poitrine fumée, puis ficelez-les.

**Pour 4 personnes**
**Temps de préparation :** 1 h 30
**Temps de cuisson :** 50 mn
**Boisson conseillée :** chiroubles
**Difficulté :** ★

2. Déposez une plaque sur la gazinière. Salez et poivrez les perdreaux. Coupez l'oignon et la carotte en cubes. Déposez un morceau de beurre, huilez légèrement et faites rôtir les perdreaux. Démarrez la cuisson sur la gazinière et finissez-la au four.

Les perdreaux sont des petites perdrix de moins d'un an. Il en existe deux variétés, la rouge et la grise.

Roland Gauthier vous conseille le perdreau rouge qu'il trouve beaucoup plus fin. Mais si, bien sûr, votre volailler ne peut vous en offrir, le perdreau dit commun conviendra parfaitement.

La cuisson des perdreaux est le seul point délicat de cette recette. Ne les cuisez pas à point : la chair se révélerait sèche et peu goûteuse. Le secret de la réussite est une cuisson en deux temps : d'abord, 20 mn au four, puis vous laissez reposer la viande dans le plat de cuisson couvert, la chair sera tendresse et moelleux. Ensuite, juste au moment de servir, passez-les une nouvelle fois au four, une dizaine de minutes. Jamais vous n'aurez dégusté gibier plus fin ni plus tendre. Si vous ne trouvez pas de raifort, sachez que maintenant on peut se le procurer en conserve, dans des petits pots.

Le canard sauvage, ou une autre volaille à votre goût, peut parfaitement servir de base à ce plat en remplacement des perdreaux. Le chou frisé, émincé et cuit très rapidement, est délicieusement digeste. Il garde sa couleur et son croquant, il aura du succès. Vous pouvez aussi servir le perdreau froid le lendemain. Un gibier succulent pour les périodes de chasse.

Le sommelier vous suggère un chiroubles.

3. Nettoyez le chou. Émincez-le finement. Épluchez les pommes de terre. Émincez-les.

4. Faites clarifier le beurre. Versez-le sur les pommes de terre. Salez et poivrez. Mélangez. Tapissez le fond des ramequins avec les pommes de terre. Complétez avec le reste des pommes et placez au four.

# pomme Anna

5. À mi-cuisson des perdreaux, ajoutez les légumes coupés en cubes. Laissez-les revenir quelques minutes. Dégraissez le plat. Mouillez de 200 ml d'eau. Ajoutez le raifort et terminez la cuisson au four.

6. Dans une poêle, faites cuire le chou avec du beurre. Conservez-le légèrement croquant. Salez et poivrez. Dressez les perdreaux sur le plat de service, accompagnés d'un petit ramequin de pommes de terre et du chou étuvé. Passez le jus au chinois et servez avec les tranches de poitrine fumée.

129

# Sarcelles rôties, damier

1. Nettoyez soigneusement les sarcelles. Videz-les, ficelez-les. Salez, poivrez et faites-les rôtir dans une cocotte avec un peu d'huile et de beurre.

**Ingrédients :**
2 sarcelles
150 g de beurre
huile
5 carottes
2 oignons
1/2 céleri-rave
6 navets
1 cube de fond de veau
2 branches de persil plat
sel, poivre

**Pour 2 personnes**
**Temps de préparation :** 15 mn
**Temps de cuisson :** 20 mn
**Boisson conseillée :** saint-estèphe
**Difficulté :** ★

2. Épluchez 2 carottes, les oignons, un petit morceau de céleri, 1 navet et coupez le tout en cubes.

Les sarcelles sont les plus petits des canards sauvages. Celles d'hiver voyagent peu et sont présentes en France toute l'année. Celles d'été viennent d'Afrique et elles ont une chair légèrement amère et d'une grande finesse, très recherchée des amateurs.

Si vous aimez les variantes, la bécasse, le colvert ou le pigeon sont des oiseaux qui feront honneur à cette préparation.

La sarcelle a une chair exquise qui donne un jus très léger. Vous pourrez en arroser les légumes : carottes et céleri, qui l'accompagnent. Le céleri est riche en vitamines A, B, C, en magnésium, en manganèse et en fer. C'est un dépuratif, régénérateur sanguin, amaigrissant.

Voilà une recette régionale que vous allez élire, nous en sommes persuadés, ce sera même l'une de vos favorites. Sa simplicité, sa rapidité d'exécution sont déjà un plaisir des plus savoureux. Vous pouvez également servir froid, le lendemain, accompagné d'une salade.

Cet oiseau migrateur a l'habitude de faire une halte dans les marais. Conviez donc vos amis à un rendez-vous de chasse et promettez-leur d'apprêter ce gibier d'eau qu'ils ne manqueront pas de vous rapporter. Tous vos chasseurs reconnaîtront que vous avez su avec talent mettre en valeur leurs belles prises. Chasse et gastronomie, voilà de quoi égayer les frimas, dès le mois d'octobre.

Le sommelier vous suggère un saint-estèphe.

3. Portez 200 ml d'eau à ébullition et délayez le cube de bouillon. Une fois les sarcelles bien colorées, ajoutez les cubes de légumes et laissez revenir l'ensemble.

4. En fin de cuisson, versez le fond. Laissez étuver pendant 7 à 8 mn. Rajoutez le persil.

# de carottes et céleri

5. Épluchez et tournez les navets. Coupez une partie du céleri en lanières, ainsi que quelques carottes. Détaillez le reste du céleri en petits dés. Retirez les sarcelles. Passez le jus au chinois et réservez l'ensemble.

6. Pochez les légumes. Faites revenir les dés de céleri au beurre. Dressez-les sur le plat de service, puis recouvrez-les de lanières de carottes et céleri tressées. Montez le jus des sarcelles au beurre. Déposez les sarcelles sur le plat. Nappez de la sauce et servez.

# Caneton au miel de

1. Nettoyez correctement le canard, ficelez-le. Salez, poivrez et faites rôtir à four moyen, arrosé d'un peu d'huile et de beurre.

**Ingrédients :**
1 beau caneton
80 g de beurre
50 ml d'huile
2 carottes
2 oignons
1 branche de thym
1 feuille de laurier
250 ml de vin blanc
2 cuil. à café de miel
 de lavande
100 ml de vinaigre
2 citrons
sel, poivre

**Pour 4 personnes**
**Temps de préparation :** 25 mn
**Temps de cuisson :** 45 mn
**Boisson conseillée :** saint-joseph blanc
ou banyuls grand cru
**Difficulté : ★**

Si vous êtes de ceux que la nouveauté affriole, vous allez bien vous régaler ! Le canard nantais et le canard de Barbarie sont ceux qu'on trouve couramment. Mais, pour cette recette, essayez le canard croisé appelé demi-sauvage. Un caneton, souvent âgé de moins de deux mois, à la chair particulièrement tendre et savoureuse.

Le miel de lavande, au nom qui coule, est pâle et doux, plus parfumé que sucré. Salez bien la peau des canetons pour que le sel pénètre dans les chairs. Arrosez-les souvent pendant la cuisson pour qu'ils ne se dessèchent pas et découpez-les avant de servir.

Le goût du citron se marie bien avec le reste, c'est pourquoi Jany Gleize vous suggère, en touche finale, d'agrémenter votre plat de quelques quartiers de citrons. Pelez-les à vif, la peau risquerait d'apporter de l'amertume.

Ce plat subtilement contrasté plaidera en votre faveur ; parfait ambassadeur, il arrangera vos affaires…

Les Romains aimaient mêler le miel à la marinade des viandes et ils buvaient des vins de Malvoisie qui ressemblent comme des frères au banyuls. Le sommelier vous recommande donc un banyuls grand cru ou un saint-joseph blanc.

2. Dans une casserole, faites revenir vivement les abats de canard avec le reste d'huile très chaude. Coupez les oignons et les carottes en cubes.

3. Une fois les abats dorés, ajoutez les oignons, les carottes, le thym, le laurier. Laissez revenir l'ensemble et mouillez avec le vin blanc et 250 ml d'eau. Laissez cuire 30 mn à feu doux.

4. Versez le miel dans une casserole et laissez cuire jusqu'à obtention d'une couleur ambrée, légèrement caramélisée. Déglacez avec le vinaigre.

# lavande et au citron

5. Passez le fond de canard au chinois sur le caramel. Laissez réduire quelques minutes.

6. Incorporez à la sauce, le jus d'1 citron. Montez-la légèrement au beurre. Vérifiez l'assaisonnement. Coupez le canard, nappez-le de la sauce et servez le tout bien chaud, accompagné de quartiers de citron pelés à vif.

# Filet mignon de porc

**Ingrédients :**
2 filets mignons de porc
1 cuil. à café de sauge
100 g de beurre
2 cuil. à café
  de graines de moutarde
4 cuil. à soupe
  de vin blanc
150 ml de fond de porc
2 cuil. à soupe
  de crème fraîche
2 cuil. à soupe de vinaigre
  de framboises
sel, poivre

1. Nettoyez correctement les filets de porc, coupez-les en deux. Salez, poivrez et saupoudrez de sauge. Faites-les cuire à feu vif, dans une sauteuse avec du beurre.

**Pour 4 personnes**
**Temps de préparation :** 20 mn
**Temps de cuisson :** 30 mn
**Macération :** 2 h
**Boisson conseillée :** saint-romain rouge
**Difficulté :** ★

Le filet mignon mérite bien son nom. Sous le milieu et la pointe du filet, c'est un morceau particulièrement tendre. L'automne est la meilleure saison pour le porc, mais la recette vaut pour le filet de veau. La sauge, qu'on appelait « herbe sacrée » tant on lui prêtait de vertus, excelle à épicer les viandes de sa saveur piquante et amère. Trempez les graines de moutarde dans 4 cuil. à soupe de vin blanc, au moins 2 h avant, pour qu'elles aient le temps de gonfler. Si vous n'avez pas tout utilisé, vous pourrez les conserver plusieurs jours au réfrigérateur dans du vin blanc. Veillez à la cuisson du porc : pour garder à la viande son élasticité et lui conserver son moelleux, évitez de la faire trop cuire. Faites le jus de viande avec les parures que vous aurez demandé à votre boucher de vous réserver. Dégraissez bien la sauce, elle sera plus digeste et meilleure au goût. Il vous suffit de jeter les graisses de cuisson. Seuls les sucs resteront dans la sauteuse. Pour la touche finale, juste avant de napper les filets, ajoutez une goutte de crème fraîche et une noisette de beurre dans la sauce chaude : cela la rendra brillante et onctueuse. Vous pouvez accompagner votre plat d'un gratin de pommes de terre. Il faut éviter de réchauffer la sauce mais vous pouvez servir les filets froids qui se conservent au moins deux jours enveloppés d'aluminium au réfrigérateur. Prenez alors le jus de porc, ajoutez du vinaigre, un peu d'huile d'olive avec des fines herbes, et votre plat ne perdra rien de son originalité et de sa succulence. Plat rustique et chaleureux, à servir entre amis ou en tête à tête au coin du feu. La moutarde sied bien aux vins de Bourgogne, aussi le sommelier vous recommande un saint-romain rouge.

2. Faites tremper les graines de moutarde dans le vin blanc 2 h auparavant. Dégraissez le plat de cuisson, puis déglacez-le.

3. Une fois les graines de moutarde et le vin blanc réduits, versez le jus de porc (voir page 232). Laissez réduire à nouveau quelques instants.

4. Incorporez la crème fraîche et laissez réduire 2 mn.

# aux couleurs d'automne

5. Ajoutez le vinaigre de framboises et montez la sauce au beurre. Rectifiez l'assaisonnement.

6. Coupez les filets de porc en tranches et nappez-les de la sauce bien chaude.

# Poule faisane et petits

1. Plumez soigneusement la poule, flambez-la, videz-la et désossez-la.

**Ingrédients :**
1 poule faisane
100 g de beurre
100 ml de fond de gibier
  ou 1 cube de bouillon de
  volaille
4 pommes reinettes
1/2 citron
cannelle
16 petits boudins sénonais
100 ml de madère
400 ml de crème fraîche
sel, poivre

**Pour 4 personnes**
**Temps de préparation :** 30 mn
**Temps de cuisson :** 40 mn
**Boisson conseillée :** chiroubles
**Difficulté :** ★

2. Dans un sautoir, faites revenir les cuisses, ainsi que les ailes de poule avec le beurre. Délayez le cube de bouillon dans 100 ml d'eau et laissez mijoter quelques instants.

La poule faisane a toujours une chair plus succulente que celle de son mâle de compère. Mais prenez-la jeune, elle sera encore meilleure car elle n'aura pas couru trop longtemps. Les sportives manquent de tendreté, c'est bien connu.

Choisissez-la déjà plumée, à moins que vous ne teniez absolument à exercer vous-même cet artisanat culinaire.

Philippe Godard vous recommande de ne pas oublier de dégraisser la cocotte, c'est-à-dire de jeter l'huile et le beurre qui ont servi à colorer les quartiers de volaille. Votre plat en sera allégé et votre digestion facilitée. Avec la carcasse de la poule faisane, vous pouvez faire un jus de gibier : concassez les os, faites-les revenir à l'huile avec une garniture de carottes, oignons, ail, bouquet garni. Flambez au cognac, déglacez au vin blanc et mouillez à hauteur avec de l'eau. Laissez réduire jusqu'à obtention de 100 ml de jus. Mais pour celles d'entre vous qui ne disposent que de peu de temps, un cube de bouillon de volaille fera l'affaire.

La cuisson doit se faire à couvert pendant 10 mn.

Cette recette s'harmonise aussi bien avec une bécasse ou une pintade. Ce plat régional vous fera découvrir les délices d'une cuisine du terroir, trop souvent méconnue. N'hésitez pas, prenez les sentiers de cette aventure, la saison de la chasse est courte et mérite cet arrêt gastronomique de prestige.

Le sommelier vous suggère un chiroubles.

3. Épluchez les pommes, frottez-les avec le citron, coupez-les en quartiers et faites-les revenir dans une poêle avec du beurre. Saupoudrez-les légèrement de cannelle et faites également revenir les petits boudins.

4. Une fois la poule faisane bien dorée, dégraissez le plat de cuisson, puis versez le madère et laissez cuire quelques instants.

# boudins sénonais

5. Faute de fond de gibier, versez 100 ml de fond de volaille délayé (voir page 233). Recouvrez et laissez mijoter 15 mn.

6. Incorporez la crème fraîche et laissez cuire 15 mn à l'étuvée. Salez légèrement, poivrez et servez très chaud accompagné des petits boudins et des quarts de pommes. Montez la sauce au beurre et nappez la poule faisane.

# Tournedos de marcassin

**Ingrédients :**
1 carré de marcassin
100 ml d'huile
1 l de vin rouge vieux
1 oignon, 1 carotte
3 échalotes, 1 tête d'ail
1 branche de céleri
1 tomate
400 ml de vinaigre de vin
25 baies de genièvre
1 bouquet garni
1 l de fond de volaille
1 cuil. à soupe de sucre
1 cuil. à soupe de poivre
mignonnette
4 pommes
50 g de beurre
20 g de fécule de pommes
de terre, 6 cuil. de confiture
d'airelles, sel, poivre

**Pour 4 personnes**
**Temps de préparation :** 1 h
**Temps de cuisson :** 2 h
**Macération :** 24 h
**Boisson conseillée :** savigny-lès-beaune
**Difficulté :** ★★

1. Désossez le marcassin. Concassez les os, puis faites-les revenir dans une poêle avec de l'huile. Dans une cocotte, portez le vin rouge à ébullition. Coupez l'oignon, la carotte, les échalotes, l'ail, le céleri et la tomate en cubes. Faites revenir le tout.

Le marcassin est un jeune sanglier âgé de moins de 6 mois. Il a la chair tendre et savoureuse, sans le goût fort de celle du sanglier adulte.

Philippe Godard vous recommande de flamber le vin, c'est une manière de lui enlever son acidité, tout en lui gardant son arôme.

La marinade doit reposer 24 h. Ce procédé rend la viande encore plus tendre et lui donne une coloration délicate.

Le vin doit réduire de 3/4 à peu près, par rapport à la proportion initiale. 2 h de cuisson vous seront nécessaires pour atteindre la perfection.

Le vinaigre, ajouté au caramel, va stopper la cuisson, et la confiture d'airelles, par sa douceur, va servir de transition entre l'acide et le sucré.

Servez ce plat brûlant. Les pommes accompagnent toujours bien le gibier, mais vous pouvez, pour sortir un peu des habitudes, opter pour une touche inattendue, et offrir la surprise d'une julienne de navets.

S'il vous reste du marcassin, vous pourrez le resservir, après l'avoir fait recuire dans la sauce comme un civet.

Chaleureux et riche, ce plat saura honorer vos invités de marque et combler les gourmets les plus exigeants.

Le sommelier vous conseille un savigny-lès-beaune.

2. Une fois le vin bouilli et flambé, incorporez le vinaigre. Ajoutez les légumes revenus, les os de marcassin, les baies de genièvre, un peu de sel et le bouquet garni.

3. Disposez maintenant le filet de marcassin, plongez-le et laissez mariner au minimum 24 h.

4. Égouttez le filet de marcassin et réservez-le au réfrigérateur. Incorporez le fond (voir page 233) à la marinade et faites-la réduire de moitié. Dans une cocotte, confectionnez le caramel avec du sucre. Puis, déglacez avec le vinaigre.

# à l'aigre-doux

5. Ajoutez maintenant le poivre mignonnette et quelques baies de genièvre. Passez la marinade réduite sur la préparation précédente et laissez cuire à feu doux une quinzaine de minutes.

6. Faites revenir les pommes dans du beurre. Tranchez le filet. Faites-le cuire dans une poêle, salez légèrement et poivrez. Passez la sauce précédente au chinois, liez-la avec une pointe de fécule de pommes de terre délayée dans de l'eau. Nappez le marcassin, puis incorporez aux pommes la confiture d'airelles. Servez le tout très chaud.

# Côtes d'agneau

1. Épluchez les oignons, puis émincez-les. Faites-les revenir dans une poêle avec la moitié de l'huile.

2. Épluchez finement les pommes de terre.

3. Ajoutez les pommes de terre aux oignons préalablement revenus. Salez et poivrez le tout.

**Ingrédients :**
12 côtes d'agneau
2 oignons
150 ml d'huile
1 kg de pommes de terre
1 bouquet garni
1 feuille de laurier
200 ml de vin blanc
sel, poivre

**Pour 4 personnes**
**Temps de préparation :** 20 mn
**Temps de cuisson :** 35 mn
**Boisson conseillée :** cahors
**Difficulté : ★**

Champvallon, c'est le nom d'un apprêt, classique, de côtelettes de mouton. Pour conquérir le cœur de Louis XIV, il fallait supplanter la marquise de Maintenon. La tâche n'était pas si facile parce que la fine mouche savait flatter la gourmandise royale. Cette préparation permit un moment à l'une des maîtresses du roi de gagner ses faveurs. Vous voyez que la cuisine est souvent l'antichambre du pouvoir !
Dans les Basses-Alpes, en Haute-Provence, où l'on trouve l'agneau de Sisteron toute l'année, c'est un plat courant, qui a pour lui la noblesse d'une vieille tradition. Vous pouvez utiliser l'agneau de pré-salé, il est plus cher mais sa viande est plus raffinée.
Lionel Goyard vous conseille les pommes de terre bintje. Elles restent fermes et tiennent à la cuisson.
Servez chaud, et régalez-vous. Mais s'il en reste, n'ayez aucun regret, vous le réchaufferez le lendemain et le retrouverez avec autant de plaisir.
Simplement campagnard, ce plat apportera sa générosité chaleureuse à ceux qui aiment manger à la bonne franquette.
Pour le sommelier, le côté rustique Champvallon s'accorde superbement avec la rigueur d'un grand cahors.

4. Ajoutez le bouquet garni, une feuille de laurier. Versez le vin blanc, 200 ml d'eau, mélangez le tout et faites cuire 30 mn à four moyen.

# Champvallon

5. Dans une poêle, faites cuire les côtes d'agneau préalablement salées et poivrées avec le reste de l'huile.

6. Disposez les côtes d'agneau sur un lit de pommes de terre. Arrosez du jus de cuisson et servez bien chaud.

# Ronds de gigotin

**Ingrédients :**
4 rouelles d'agneau
300 g d'os d'agneau
2 oignons
2 carottes
1 tomate
1 grosse tête d'ail
1 branche de céleri
1 bouquet garni
50 ml d'huile
100 ml de vin blanc
200 ml de lait
sel, poivre

**Pour 4 personnes**
**Temps de préparation :** 35 mn
**Temps de cuisson :** 50 mn
**Boisson conseillée :** condrieu
**Difficulté :** ★

1. Préparez une garniture, coupez les oignons et les carottes en cubes. Coupez la tomate en morceaux, épluchez 3 gousses d'ail et concassez l'os d'agneau.

L'agneau s'élève dans les régions accidentées des Alpes-Maritimes. Il est fort apprécié dans le sud de la France.

Bien qu'il s'agisse d'un morceau de choix, cette recette reste économique car il n'est pas nécessaire de cuire le gigot entier. Coupez seulement les tranches dont vous avez besoin, le reste vous servira à préparer un autre plat.

Faites colorer les os au four, pour libérer leurs parfums.

Attention à l'ail. Dosez-le bien pour éviter que son goût trop prononcé ne gâche votre sauce en l'emportant sur les autres composantes. Si vous craignez l'ail, faites alors une sauce au roquefort. C'est aussi un produit du terroir. Votre plat n'y perdra pas et gardera tout son accent.

Lustrez votre sauce en y faisant fondre un morceau de beurre alors qu'elle est encore chaude : elle gagnera en brillance.

Vous pouvez encore servir les ronds de gigotin sans sauce, accompagnés d'une ratatouille.

Pour sceller la belle alliance de l'ail et de l'agneau, le sommelier vous recommande un grand vin blanc du Rhône, un condrieu.

2. Dans une plaque, faites revenir avec de l'huile les os d'agneau et la garniture. Après coloration, mouillez avec le vin blanc et 400 ml d'eau. Salez, poivrez et laissez réduire de moitié.

3. Portez le lait à ébullition, puis ajoutez le reste de l'ail préalablement épluché et fendez-le en deux pour en retirer le germe.

4. Laissez cuire quelques instants, salez légèrement, mixez afin d'obtenir une crème assez épaisse.

# à l'ail doux

5. Passez le jus d'agneau au chinois dans une casserole, portez-le à ébullition. Incorporez la crème d'ail. Portez de nouveau à ébullition quelques instants et réservez la sauce.

6. Faites cuire les ronds de gigot dans une poêle, salez et poivrez légèrement (la cuisson variera selon votre goût), puis nappez-les de la sauce très chaude en ayant pris soin de vérifier l'assaisonnement.

# Volaille de Bresse aux

1. Dans une poêle, faites cuire les suprêmes de volaille préalablement salés et poivrés avec un peu de beurre et d'huile.

**Ingrédients :**
4 suprêmes de volaille
 de Bresse
50 g de beurre
2 cuil. à soupe d'huile
20 g d'échalotes
1 bouteille de vin jaune
30 g de morilles
150 ml de crème fraîche
sel, poivre

**Pour 4 personnes**
**Temps de préparation :** 15 mn
**Temps de cuisson :** 35 mn
**Boisson conseillée :** vin jaune (château-chalon)
**Difficulté :** ★

2. Hachez finement les échalotes et faites-les revenir dans la poêle.

Les volailles de Bresse, nourries au vrai maïs, atteignent la perfection dans toutes les occasions. Il peut arriver que vous n'en trouviez pas chez votre boucher. Choisissez dans ce cas un bon poulet fermier. Le poulet des Landes possède lui aussi un label rouge.

Avec une volaille de premier choix, les morilles fraîches sont tout indiquées. La morille est un champignon que l'on trouve en lisière des forêts et également dans les vergers. Il existe plusieurs sortes de morilles. Les deux meilleures sont la « conique » et la « vulgaire ». Les morilles ne font leur apparition sur le marché qu'au printemps. En attendant leur venue utilisez des morilles lyophilisées ou en conserve. Nettoyez-les bien, car leurs alvéoles sont souvent pleines de terre et de sable.

L'échalote ne doit pas trop se colorer. Elle possède un goût prononcé qui pourrait gâcher la sauce et troubler sa belle couleur.

Le riz est sans conteste l'accompagnement qui convient le mieux à ce plat. Riz complet ou riz sauvage peuvent donner un grain très personnel à cet accord toujours parfait.

Chaleureusement somptueux, ce poulet délicieux donnera un éclat de fête à vos dimanches, et il sera très apprécié des appétits vigoureux.

Cette recette doit être servie avec du vin jaune, ce vin du Jura, sec, à la saveur de noix et de prune. C'est un vin issu d'un cépage unique, le savagnin. Le vin reste à cuver 6 ans au moins avant d'être mis en bouteille. C'est le moment ou jamais, notre sommelier vous conseille un château-chalon.

3. Dégraissez la poêle et versez 300 ml de vin jaune. Laissez réduire quelques instants.

4. Ajoutez les morilles, après les avoir bien nettoyées. Salez et poivrez. Laissez cuire pendant 5 ou 6 mn.

# morilles et vin jaune

5. Ajoutez la crème fraîche et laissez mijoter la préparation sur le coin du feu afin qu'elle épaississe.

6. Au moment de servir, ajoutez une pointe de vin jaune. Vérifiez l'assaisonnement. Nappez les suprêmes de volaille et servez chaud accompagné de riz pilaf.

# Daube de bœuf

**Ingrédients :**
1,6 kg de jumeau de bœuf
1 pied de veau désossé
200 g de porc salé
1,5 kg de carottes
600 g d'échalotes
2 l de vin rouge
100 ml de cognac
150 g de beurre
1 bouquet garni
4 gousses d'ail
sel, poivre

**Pour 8 personnes**
**Temps de préparation :** 20 mn
**Temps de cuisson :** 2 h 30
**Boisson conseillée :** vin de pays charentais
**Difficulté :** ★

1. Épluchez les carottes, puis émincez-les en rondelles. Épluchez les échalotes et ciselez-les. Faites bouillir les 2 l de vin rouge. Lorsque le vin a atteint l'ébullition, incorporez le cognac et faites flamber.

Malgré la chaleur des fêtes de fin d'année, l'hiver reste une saison frileuse qui, pour passer, a bien besoin de petits plats amoureusement mijotés. Cette daube, plat national charentais, cuisait autrefois 2 à 3 jours durant dans la cheminée.

À présent, le temps n'est plus aux longues journées en cuisine, et cette daube allégée ne vous demandera pas plus de 3 h de cuisson mais rassurez-vous, ce ne seront pas 3 h passées aux fourneaux.

Après la cuisson, les os du pied de veau s'enlèvent très facilement.

Le jus, adouci par la carotte, est très léger. Si vous surveillez votre ligne, ce plat sans farine est presque diététique, à condition, bien sûr, que vous dégraissiez fréquemment le bouillon en cours de cuisson. L'assaisonnement se fait une heure avant la fin de la cuisson.

Ce plat riche de promesses, mérite bien des retrouvailles familiales, chaleureuses et animées. Vigoureux, il apportera cette joie saine sans laquelle aucun repas ne saurait être complet.

Pour rester dans la note et explorer les saveurs de cette région, dégustez un bon vin de pays charentais.

2. Mettez une marmite d'eau à bouillir et faites blanchir le pied de veau quelques minutes. Coupez le porc salé en petits lardons, faites-le blanchir également, puis faites-le revenir avec une partie du beurre dans une cocotte. Une fois revenu, égouttez-le et réservez-le.

3. Dans la même cocotte, incorporez un autre morceau de beurre. Coupez le jumeau de bœuf en gros dés et faites-le colorer au beurre. Une fois coloré, retirez-le et réservez-le.

4. Incorporez à nouveau 1 cuil. de beurre dans la cocotte et faites revenir l'ensemble des échalotes hachées. Après quelques minutes de cuisson, ajoutez les carottes.

# saintongeaise

5. Dans la même marmite, ajoutez les morceaux de jumeau de bœuf, ainsi que le pied de veau, le bouquet garni, les gousses d'ail hachées et le porc salé. Mélangez bien l'ensemble.

6. Poivrez la préparation, versez le vin rouge flambé, recouvrez et laissez cuire à feu doux 2 ou 3 h.

# Blanc de pintade, poireaux

**Ingrédients :**
2 blancs de pintade
2 échalotes
100 g de beurre
2 poireaux
200 ml de champagne
  Veuve Clicquot
1 cube de fond brun
200 ml de crème fraîche
1 cuil. à soupe de
  moutarde de Meaux
sel, poivre

**Pour 4 personnes**
**Temps de préparation :** 15 mn
**Temps de cuisson :** 30 mn
**Boisson conseillée :** champagne brut Veuve Clicquot
**Difficulté :** ★

1. Épluchez et hachez finement les échalotes, puis faites-les revenir dans le beurre. Nettoyer correctement les poireaux, fendez-les en quatre, ciselez-les et ajoutez-les aux échalotes. Salez et poivrez.

Originaire d'Afrique, la pintade s'est très bien adaptée à nos climats et a su devenir depuis longtemps une volaille de choix de la gastronomie française. Elle doit son nom au portugais « pintar », qui veut dire « peindre », en raison des taches claires que l'on croirait faites au pinceau et qui parsèment son plumage sombre. Demandez à votre boucher des blancs, ce sera plus économique. Autrement, vous devrez prélever les filets sur une volaille entière.

Pour réussir votre sauce, Jean-Pierre Lallement vous conseille de la cuire ni à feu trop vif, ni trop longtemps, et de choisir une moutarde plus ou moins forte, comme vous l'aimez.

Pour accompagner très agréablement ce plat, vous pouvez confectionner des pommes darphin : coupez les pommes de terre en bâtonnets, faites-les sauter à la poêle dans un mélange beurre-huile d'olive, pendant 5 mn, puis passez-les 4 à 5 mn au four, dans des moules bien beurrés. Vous obtiendrez, après démoulage, des galettes tout à fait succulentes.

Un bon vin blanc peut remplacer le champagne.

Un petit zeste de citron blanchi au moment de servir, et voilà un plat de choix pour vos dîners en famille.

Notre sommelier respecte la règle d'or qui veut que l'on serve à table le vin qui entre dans l'élaboration de la sauce : ici, un champagne brut Veuve Clicquot Carte d'Or.

2. Dans une poêle, faites rôtir les filets de pintade préalablement salés et poivrés avec un peu de beurre. En fin de cuisson, déglacez avec le champagne.

3. Réservez les filets de volaille, versez le cube de fond brun délayé dans 100 ml d'eau et laissez réduire l'ensemble de moitié.

4. Incorporez la crème fraîche et laissez réduire. Passez la sauce au chinois dans une casserole.

# et champagne

5. Vérifiez l'assaisonnement de la sauce, puis montez au beurre.

6. Versez la préparation précédente sur les poireaux incorporez la moutarde de Meaux, mélangez, laissez étuver quelques instants et servez cette compote de poireaux avec les blancs émincés de pintade.

# Gibelotte de lapin

1. Dans une cocotte, faites colorer le lapereau coupé en morceaux avec le beurre. Salez et poivrez.

**Ingrédients :**
1 lapereau
50 g de beurre
1 oignon
1 carotte
4 pommes golden
1 branche de thym
2 feuilles de laurier
200 ml de vin blanc
500 ml de cidre
1 cube de fond de veau
100 ml de crème fraîche
sel, poivre

**Pour 4 personnes**
**Temps de préparation :** 15 mn
**Temps de cuisson :** 35 mn
**Boisson conseillée :** cidre fermier brut
**Difficulté :** ★

En ancien français, un « gibelet » désignait un plat d'oiseaux préparés au vin. La « gibelotte » en est le joli nom dérivé, attribué à un ragoût de lapin, au vin.

Pour être tendre, le lapin doit être tué jeune. Choisissez-le plutôt court et ramassé, avec le râble rebondi, le foie pâle et sans taches, une chair rose, du gras bien blanc autour des reins et le rognon parfaitement visible. Le lapin est une viande maigre, riche en vitamine B3 et également en soufre.

Cette variante régionale de la gibelotte traditionnelle utilise le cidre à la place du vin, ce qui ne peut manquer de vous séduire : l'association des saveurs de la pomme et du cidre, mêlé à celle du lapin, est une authentique réussite. Le sel sur la pomme va révéler avec une finesse extrême l'arôme du fruit. Un gratin dauphinois sera un accompagnement de choix pour cette recette qui sent bon les vergers de Champagne.

Ce plat simple ne perdra rien, en qualité ni en saveur, si vous remplacez le lapin par une volaille.

Servez-le chaud. Vous pourrez le conserver 2 à 3 jours au réfrigérateur et le réchauffer sans problème.

Pour épater vos amis par votre maîtrise de la cuisine régionale, préparez-leur cette recette champenoise.

Offrez la grande et rare joie de déjeuner en buvant un grand cidre !

2. Coupez l'oignon et la carotte en cubes, ainsi que 2 pommes golden.

3. Dégraissez le lapereau, puis ajoutez l'oignon, le thym, la carotte, les pommes et le laurier. Salez légèrement, poivrez et laissez bien revenir l'ensemble.

4. Déglacez la cocotte avec le vin blanc et le cidre. Délayez le cube de bouillon dans 100 ml d'eau et incorporez-le. Portez à ébullition et laissez cuire 20 mn à feu doux.

# au cidre

5. Décantez votre lapin et réservez-le. Passez la sauce au moulin à légumes avec les pommes et portez-la à ébullition.

6. Après réduction de moitié, incorporez la crème fraîche, fouettez abondamment et laissez épaissir. Rectifiez l'assaisonnement, passez la sauce au chinois et nappez le lapereau de cette sauce. Servez accompagné de pommes en quartiers sautés au beurre.

# Poêlée de pigeon

1. Coupez les pigeons en deux, désossez-les et retirez la peau.

**Ingrédients :**
4 pigeons
50 ml d'huile
100 g de beurre
150 ml de porto
1 cube de fond brun ou
  500 ml de jus de pigeon
100 ml de miel d'acacia
1 zeste de citron
sel, poivre

**Pour 4 personnes**
**Temps de préparation :** 40 mn
**Temps de cuisson :** 20 mn
**Boisson conseillée :** volnay-champans
ou banyuls grand cru
**Difficulté : ★**

2. Désossez les cuisses de pigeons et troussez légèrement la chair.

Dans l'Antiquité, le miel, symbole de richesse et de félicité, était la nourriture de dieux. Et dans la Bible, la Terre promise est « un bon et vaste pays où coulent le lait et le miel ». Denrée précieuse aux vertus thérapeutiques, le miel au Moyen Âge était utilisé pour la confiserie et comme condiment de table.

Le miel contient environ 20 % d'eau et 80 % de sucres parfaitement assimilés par l'organisme, des protides en faible quantité, des sels minéraux (calcium, potassium, magnésium) mais pratiquement pas de vitamines.

Le miel d'acacia – il faudrait plus justement dire du robinier – est d'un beau blond paille, transparent et liquide.

Jean-Pierre Lallement vous conseille de déposer les cuisses de pigeon en premier dans la graisse, car elles sont plus longues à cuire que les filets. Le miel évite de monter la sauce au beurre et lui donnera lustrage et brillant.

L'association sucré-salé, autrefois étrangère à la gastronomie française, en fait de plus en plus souvent partie. Si vous l'appréciez, vous serez ravie de savoir que le miel est plus digeste que le sucre. En garniture, des dés de betterave rouge sautés au beurre viendront embellir votre plat et lui donneront cette élégance digne des repas de gala.

Vous n'aurez que l'embarras du choix, tout comme notre sommelier, entre la tendresse d'un grand volnay aux arômes de petits fruits rouges ou l'élégance sombre d'un grand banyuls ! À vous de choisir !

3. Dans une poêle, faites cuire d'abord les cuisses de pigeon, puis les filets de pigeon avec un peu d'huile et 1 cuil. de beurre. Salez, poivrez, puis réservez.

4. Dégraissez la poêle, puis incorporez le porto et laissez réduire de moitié.

# au miel d'acacia

5. Incorporez 150 ml de fond brun ou 150 ml de jus de pigeon (voir page 231), portez à ébullition et laissez réduire 5 mn.

6. Versez le miel d'acacia, laissez caraméliser l'ensemble, nappez le fond du plat de la sauce, dressez les pigeons et servez très chaud.

# Fricassée de

1. Videz, flambez et nettoyez correctement la volaille. Coupez-la en 8 morceaux.

**Ingrédients :**
1 volaille de Bresse
  de 2,8 kg
50 g de beurre
1 pomme golden
4 beaux champignons
  de Paris
1 cube de fond de veau
300 ml de cidre
200 ml de crème fraîche
sel, poivre

**Pour 5 personnes**
**Temps de préparation :** 20 mn
**Temps de cuisson :** 35 mn
**Boisson conseillée :** cidre brut
**Difficulté :** ★

2. Dans une cocotte, faites rissoler les morceaux de volaille avec du beurre en les laissant légèrement colorer. Salez et poivrez.

La fermentation naturelle du jus de pomme était certainement connue depuis l'Antiquité. Le mot latin à l'origine de celui de « cidre » signifiait « boisson enivrante ». Cette vertu dut plaire beaucoup, car, dès le XIIᵉ siècle, le cidre s'implanta dans l'empire de Charlemagne qui posa les premières règles de sa fabrication. La Normandie et la Bretagne virent fleurir les pommiers, et la cervoise fut très vite oubliée…

Pour cette fricassée, notre chef vous conseille le poulet des Landes ou celui de Bresse. Ces deux labels de grande qualité sont la garantie pour vous d'une réussite parfaite.

Pensez à bien laisser réduire votre sauce après l'incorporation de la crème fraîche. N'oubliez pas qu'une fois montée au beurre elle ne doit plus bouillir, sinon elle tournerait.

Cette volaille tendrement éméchée, parfumée de pommes et de cidre, est une invitation à la fête et à la chaleur des retrouvailles amicales. Devant un feu de cheminée qui brûle haut et clair, vous allez apprécier cette cuisine fruitée. Les rires et la bonne humeur sont ingrédients nécessaires à la dégustation de cette recette.

Notre sommelier vous invite à déboucher un bon cidre brut et à saluer ce beau mariage de raison, de région et d'amour.

3. Épluchez la pomme et coupez-la en bâtonnets. Répétez l'opération pour les têtes de champignons. Délayez le cube de bouillon dans 100 ml d'eau.

4. Les morceaux de volaille bien revenus, dégraissez, puis incorporez les 300 ml de cidre. Laissez prendre une ébullition et ajoutez le cube de bouillon délayé. Recouvrez et laissez cuire à feu doux pendant 30 mn.

# volaille au cidre

5. Retirez les morceaux de volaille et réservez-les. Faites réduire la cuisson de moitié, puis incorporez la crème fraîche. Laissez prendre une ébullition tout en fouettant énergiquement.

6. Passez la sauce au chinois. Montez-la au beurre. Incorporez les bâtonnets de pomme et de champignons. Nappez de la sauce les morceaux de volaille. Servez le tout bien chaud accompagné de pâtes fraîches.

# Grenouilles et volaille

**Ingrédients :**
16 cuisses de grenouilles
4 escalopes de volaille
2 gros poireaux
3 champignons de Paris
10 noisettes décortiquées
80 ml d'huile de noisette
1 cube de fond
 de volaille
100 g de beurre
50 ml d'huile
feuilles de cerfeuil
sel, poivre

1. Nettoyez correctement les poireaux. Coupez-les en quatre. Émincez-les très finement et faites-les suer avec 50 g de beurre. Salez et poivrez.

**Pour 4 personnes**
**Temps de préparation :** 40 mn
**Temps de cuisson :** 30 mn
**Boisson conseillée :** savigny-lès-beaune
**Difficulté :** ★

La grenouille, vous la connaissez bien. Ce petit batracien qui hante les lieux humides et les eaux calmes était déjà très apprécié au Moyen Âge, surtout pendant le carême. La grenouille verte, qui aime les marais et les ruisseaux, est plus savoureuse que la rousse qui préfère se contenter de la fraîcheur. On n'en consomme que les cuisses, au grand dam des Britanniques qui, « my God ! », n'ont jamais compris cet engouement des Français, confirmé par celui des Allemands et des Italiens. On raconte pourtant qu'Escoffier, alors chef au Carlton de Londres, réussit à les imposer à la table du prince de Galles en personne. Mais pour ce faire, il dut les habiller de poésie et les envelopper de mythe en les baptisant « cuisses de nymphes aurore ». Jean-Michel Lebon vous recommande d'éviter le vert de poireau qui donnerait de l'amertume.

Ce plat est simple à réaliser. La seule difficulté est le désossage des cuisses de grenouilles, plus long que réellement difficile.

Cette entrée se sert chaude mais elle peut être réchauffée doucement, car en cuisine, comme ailleurs, tout est affaire de tendresse. Évitez un four trop chaud.

Régalez vos amis en leur offrant ce mets de prince.

Notre sommelier vous conseille un savigny-lès-beaune. Ce grand vin rouge de Bourgogne sera très à son aise en compagnie de ce couple étonnant.

2. Désossez soigneusement les cuisses de grenouilles. Salez et poivrez. Puis, farinez-les.

3. Dans une poêle, faites revenir les cuisses de grenouilles avec du beurre. Salez et poivrez. Réservez-les.

4. Faites cuire les blancs de volaille dans une poêle avec un peu de beurre. Salez et poivrez.

# aux senteurs boisées

5. Délayez le cube de fond dans 100 ml d'eau. Dégraissez la poêle, puis déglacez-la avec la préparation. Laissez réduire de moitié. Taillez les champignons en petits bâtonnets.

6. Montez à l'huile de noisette la préparation précédente. Escalopez les blancs de volaille et dressez-les sur le plat de service. Accompagnez des poireaux, surmontez des cuisses de grenouilles, des noisettes concassées, ainsi que des champignons taillés en bâtonnets.

# Noisette d'agneau, feuilleté

**Ingrédients :**
2 ris de veau
1/2 rognon de veau
1 selle d'agneau
1 bouquet garni
300 g de pâte feuilletée
1 cube de fond de veau
50 g de beurre
100 ml d'huile
150 ml de crème fraîche
1 branche de basilic
sel, poivre

1. Faites dégorger les ris de veau. Démarrez le blanchissage dans de l'eau froide. Puis rafraîchissez-les. Portez une casserole d'eau salée à ébullition et ajoutez le bouquet garni. Faites bouillir 15 mn, ajoutez les ris de veau et laissez cuire.

**Pour 4 personnes**
**Temps de préparation :** 45 mn
**Temps de cuisson :** 1 h 05
**Boisson conseillée :** saint-émilion
**Difficulté :** ★★

La noisette, en boucherie, désigne à l'origine le morceau obtenu en désossant une côtelette-filet ou une côtelette première d'agneau ou de mouton. Entourée d'une fine barde, comme un tournedos, elle constitue un mets délicat, riche en lipides et en protéines.
Demandez à votre boucher de vous détailler les noisettes, vous gagnerez ainsi un temps précieux à la préparation.
Cette recette, vous pouvez également la faire avec du chevreuil.
Jean-Michel Lebon vous conseille de faire dégorger les ris environ 1 h à l'eau fraîche, pour blanchir leur chair. Après avoir écumé l'eau, vous ajouterez la garniture aromatique. Ne détaillez les ris en dés qu'après refroidissement.
Servez bien chaud, accompagné par exemple d'un flan de chou-fleur ou de morilles. Vous pourrez le réchauffer à faible température. Ce plat chaleureux fera la joie des repas de fête.
Le goût de beurre frais du feuilletage sera agréablement rehaussé par un jeune saint-émilion, tendre et chaleureux.

2. Dans une poêle, faites saisir abondamment le rognon et réservez-le. Étalez la pâte feuilletée (voir page 227) et coupez-la en rectangles de 10 cm sur 8 cm. Faites-les cuire à four moyen pendant 20 mn environ.

3. Coupez le rognon et les ris de veau en petits cubes. Tenez-les au chaud. Délayez le cube de fond de veau dans 100 ml d'eau.

4. Une fois la selle d'agneau tranchée, faites-la cuire dans une poêle avec le reste d'huile et du beurre. Salez et poivrez. Laissez cuire selon votre goût.

# de ris et rognons

5. Dégraissez la poêle. Versez le fond et laissez mijoter quelques minutes. Fendez les feuilletés en 2 et faites-les réchauffer au four. Déposez les ris et les rognons de veau dans une casserole et laissez-les tiédir.

6. Versez la moitié de votre préparation précédente sur les ris et rognons de veau. Incorporez la crème fraîche et laissez épaissir. Garnissez les feuilletés de l'appareil ris-rognon et nappez les noisettes d'agneau et du reste de sauce brune dans laquelle vous laisserez infuser le basilic.

# Émincé de veau

1. Nettoyez correctement le filet de veau, puis coupez-le en petits bâtonnets.

**Ingrédients :**
600 g de filet de veau
2 tomates bien mûres
1 pointe d'ail
2 échalotes
1 bouquet de basilic frais
120 g de beurre
200 ml de vin blanc sec
1 cuil. à soupe d'huile
sel, poivre

**Pour 3 personnes**
**Temps de préparation :** 25 mn
**Temps de cuisson :** 25 mn
**Boisson conseillée :** château-patris
**Difficulté :** ★

2. Coupez les tomates en deux, épépinez-les et concassez-les. Épluchez l'ail, les échalotes et hachez-les finement. Ciselez le basilic.

Les veaux en provenance de Corrèze et du Lot-et-Garonne, élevés « au pis » sont les plus réputés. Le veau du Limousin est le seul à bénéficier du label rouge. La viande de veau est, au même titre que le porc, considérée comme une viande blanche. Il paraît même que dans certaines fermes, les éleveurs ajoutent des blancs d'œufs à la nourriture des veaux, ce qui confère à la viande une blancheur certaine. Mais la couleur très légèrement rosée n'en est pas moins un signe de fraîcheur et de bonne qualité.

Jean Lenoir vous rappelle que le veau nécessite une cuisson à point. Conservez aux lanières de veau tout leur moelleux en les recouvrant d'un papier aluminium. Une fois les lanières sautées à la poêle, évitez de les laisser bouillir dans la sauce. Cette recette peut se réaliser également avec du porc. Choisissez toutefois le filet.

L'échalote ne doit pas prendre de coloration car elle donnerait une désagréable amertume à la sauce. Faites-la cuire doucement à feu doux. Vous corserez la sauce, si vous le désirez, en ajoutant quelques gouttes de Worcestershire sauce : elle obtiendra un mordant qui révélera, sans toutefois la gâcher, toutes ses saveurs.

L'« émincé de veau au basilic », servi chaud, s'accompagne aisément de petits légumes de saison.

Notre sommelier vous conseille un saint-émilion château-patris. Le cépage merlot amène aux vins du Libournais une souplesse et un moelleux remarquables. Pour la viande de veau, il sera un parfait compagnon.

3. Dans une cocotte, faites suer à feu doux les échalotes avec 20 g de beurre, ajoutez l'ail et les tomates concassées.

4. Remuez l'ensemble et incorporez le basilic ciselé et le vin blanc. Portez le tout à ébullition pendant 5 à 10 mn.

# au basilic

5. Mixez, salez, poivrez et vérifiez l'assaisonnement. Ajoutez le beurre, mixez de nouveau et réservez la sauce.

6. Dans une poêle, faites revenir à feu très vif les émincés de veau avec 1 cuil. à soupe d'huile. Salez et poivrez. Nappez le fond de l'assiette avec la sauce. Disposez les filets et saupoudrez de basilic haché. Servez chaud.

# Cuisses de canard

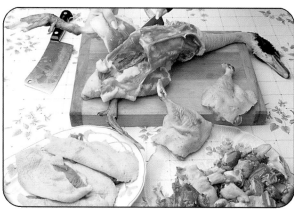

### Ingrédients :

2 canards ou 4 cuisses
  de canard
1 cuil. à soupe de farine
80 ml d'huile
1 oignon
2 carottes
1 branche de céleri
1 bouquet garni
50 ml d'armagnac
1 cube de bouillon
  de volaille
200 ml de vin blanc
1 cuil. à soupe de beurre
3 tranches de pain de mie
300 g d'airelles fraîches
2 cuil. à soupe de sucre
sel, poivre

**Pour 4 personnes**
**Temps de préparation :** 25 mn
**Temps de cuisson :** 1 h
**Boisson conseillée :** crozes-hermitage rouge
**Difficulté : ★**

1. Levez les cuisses de canard et levez également les filets (réservez-les pour une autre recette). Concassez grossièrement la carcasse de canard et réservez les foies.

Les airelles sont de petites baies rouges d'arbrisseaux qui poussent dans les landes et les bois des régions froides et montagneuses. Elles sont riches en vitamine C et en pectine. On les sucre pour en faire des compotes ou des gelées et elles sont utilisées pour leur goût très acidulé dans les sauces et condiments.

Ces fruits d'hiver, que l'on cueille de novembre à janvier, accompagnent au naturel la viande et le gibier.

Vous pourrez, en variante, choisir de faire mariner les cuisses de canard, 3 jours, avec bouquet garni, genièvre, clou de girofle, oignons, carottes et vin blanc.

Ce plat est un peu long à cuire mais ne présente pas de difficulté. Il se sert chaud, accompagné d'une purée de céleri ou de pommes de terre rissolées. Le lendemain, vous pouvez le réchauffer, il n'en sera que meilleur. Ce mets raffiné donnera un cachet nouveau et délicat à vos repas d'hiver.

Notre sommelier vous suggère un crozes-hermitage rouge. La chaleur de ce vin des côtes du Rhône conviendra à merveille à ce plat hivernal.

2. Dans une cocotte, faites revenir les cuisses de canard farinées avec de l'huile chaude. Salez et poivrez légèrement. Une fois dorées, réservez-les. Versez la carcasse de canard concassée dans une marmite et faites-la bien revenir.

3. Salez légèrement la carcasse. Épluchez l'oignon et les carottes. Coupez-les en mirepoix, ainsi que le céleri. Ajoutez l'ensemble à la préparation en ajoutant le bouquet garni. Remuez et laissez colorer.

4. Une fois la garniture revenue, flambez-la avec l'armagnac. Versez le vin blanc et le cube de fond préalablemenl délayé dans 500 ml d'eau. Ajoutez les cuisses de canard. Laissez cuire à feu doux pendant 40 à 60 mn. Égouttez les cuisses. Passez la sauce au chinois et réservez-la.

# aux airelles

5. Hachez finement le foie et faites-le revenir dans une poêle avec du beurre. Salez et poivrez. Tartinez des petits triangles de pain de mie grillés et réservez-les.

6. Faites légèrement blanchir les airelles dans de l'eau sucrée et réservez-les. Portez de nouveau la sauce à ébullition et laissez réduire. Nappez les cuisses de canard de cette sauce. Accompagnez-les d'airelles et de toasts de foie de canard. Servez bien chaud.

1. Désossez la volaille. Dans une cocotte, portez 3 l d'eau à ébullition. Incorporez les carcasses et parures de volaille. Portez à ébullition et écumez de temps à autre. Une fois le bouillon bien clair, salez et poivrez.

**Ingrédients :**
1 volaille de Bresse
  de 1,4 kg
4 oignons
2 carottes
1 bouquet garni
200 ml d'huile d'olive
1 cuil. à soupe de sucre
300 g de pommes de terre
2 bulbes de fenouil
1 cuil. à soupe de
  concentré de tomates
3 g de safran
50 ml de Ricard
1 gousse d'ail
4 tomates
sel, poivre

**Pour 6 personnes**
**Temps de préparation :** 30 mn
**Temps de cuisson :** 40 mn
**Boisson conseillée :** moulin-à-vent
**Difficulté : ★★**

2. Dans une casserole, ajoutez un peu d'huile d'olive, le sucre et 2 oignons émincés ainsi que le bouquet garni et laissez revenir l'ensemble.

La bouillabaisse traditionnelle se compose de poissons. Ici Bernard Mariller a voulu retenir le mot et son sens premier qui, en provençal, vient de « bouillir ». Toujours « bouillon de soleil », comme dit Escudier de la bouillabaisse, toujours « soupe d'or », selon cette fois Curnonsky, celle-ci est seulement plus terrienne, puisqu'elle est faite avec de la bonne volaille de Bresse.

Une recette originale, en forme de clin d'œil à la tradition provençale.

La rouille va changer de couleur et prendre le teint éclatant des maïs mûrs mais, comme sa sœur marine, elle garde bien sûr le safran pour épice.

Si, pour cette recette, vous préférez ne prendre que les blancs de volaille, vous pourrez réaliser le fond avec un cube à la place de la carcasse.

Respectez bien l'ordre de cuisson des ingrédients et vous réussirez une bouillabaisse absolument parfaite.

Un soir où vous sortez, pour aller au cinéma ou au théâtre, invitez vos amis à venir déguster cette chaude merveille, elle raffole des soirées magnifiques.

Notre sommelier vous suggère pour rester dans la note de déboucher le plus prestigieux cru du beaujolais, un des seuls à savoir vieillir avec grâce : le moulin-à-vent.

3. Une fois le bouillon bien cuit, passez-le au chinois, puis ajoutez les dés de poulet désossé.

4. Ajoutez les pommes de terre épluchées et coupées en dés (réservez-en une), ainsi que les bulbes de fenouil coupés en morceaux, le concentré de tomates et le safran.

# volaille de Bresse

5. Portez l'ensemble à ébullition et laissez cuire à feu doux. Incorporez la confiture d'oignons et laissez de nouveau cuire en conservant les morceaux de volaille légèrement fermes. Dans une casserole d'eau légèrement salée, faites cuire une pomme de terre.

6. Incorporez 50 ml de Ricard, passez la pomme de terre au chinois, incorporez une gousse d'ail hachée, une pointe de safran et montez le tout avec les 200 ml d'huile d'olive. Salez légèrement. Dressez la bouillabaisse sur le plat de service, ajoutez également les 4 tomates pelées et épépinées. Servez aussitôt.

# Filet d'agneau et

1. Dans 2 casseroles d'eau légèrement salée et vinaigrée, faites blanchir la cervelle et les ris d'agneau après les avoir fait dégorger dans de l'eau froide.

**Ingrédients :**
1 carré d'agneau
1 cervelle d'agneau
200 g de ris d'agneau
100 ml de vinaigre
  de vin blanc
50 ml d'huile
2 échalotes
1 carotte
1 bouquet garni
200 ml de vin blanc
50 g de beurre
500 g d'épinards
100 g de crème fraîche
1/2 bouquet de ciboulette
sel, poivre du moulin

**Pour 4 personnes**
**Temps de préparation :** 35 mn
**Temps de cuisson :** 50 mn
**Boisson conseillée :** pauillac
**Difficulté :** ★★

2. Rafraîchissez les ris d'agneau et la cervelle, coupez-les en petits dés et réservez-les.

Une chartreuse évoque toujours un petit coin de campagne fourré de verdure. C'est sans doute pour cette raison que l'on a baptisé ainsi cet apprêt culinaire de grande cuisine, fait de légumes, et notamment de chou braisé, de viande et de gibier.

Vous pouvez, en saison, choisir des endives pour remplacer les épinards. Mais n'oubliez pas que ces derniers auront des feuilles belles, si vous les faites blanchir rapidement à la vapeur, salées, poivrées, et citronnées avant le moulage.

La cuisson de la chartreuse se fait au bain-marie, pour éviter qu'elle ne se dessèche.

Le carré d'agneau désossé est devenu filet. Sa cuisson variera selon votre goût : saignant, à point ou bien cuit. Lorsque vous avez incorporé les ris et la cervelle à la sauce, laissez réduire afin que l'appareil soit bien lié et que la chartreuse ne s'écroule pas au démoulage. Si vous n'avez pas le temps de préparer le jus d'agneau, Manuel Martinez vous conseille d'utiliser un cube de bouillon délayé dans 200 ml d'eau. Vous vous en servirez pour déglacer le plat de cuisson du filet après l'avoir dégraissé.

Suivez bien tous ces petits conseils, et vous verrez que ce mets, plein de vieille noblesse, donnera à vos repas une saveur tout aristocratique.

Notre sommelier vous conseille un château-pontet-canet (pauillac).

3. Désossez le carré d'agneau. Concassez les os et faites-les revenir dans une cocotte avec l'huile. Dès qu'ils sont bien colorés, ajoutez l'échalote et la carotte coupées en cubes, ainsi que le bouquet garni. Mouillez avec 200 ml de vin blanc, 600 ml d'eau et laissez cuire à feu doux.

4. Clarifiez le plat de cuisson avec un peu d'huile et de beurre. Salez et poivrez le carré d'agneau. Faites-le rôtir. Portez une marmite d'eau salée à ébullition, effeuillez les épinards et nettoyez-les. Faites-les blanchir en les conservant croquants.

# chartreuse d'abats

5. Passez le jus d'agneau au chinois et faites-le réduire de moitié. Dans une poêle, faites revenir les ris et la cervelle d'agneau dans une noisette de beurre. Égouttez-les. Déglacez la poêle avec 2 louches de jus d'agneau. Incorporez la moitié de la crème fraîche. Versez les ris et la cervelle. Laissez mijoter 2 mn et réservez.

6. Tapissez le fond d'un moule de feuilles d'épinards et garnissez-le de la préparation précédente. Faites cuire au bain-marie et au four pendant 20 mn Démoulez sur le plat. Tranchez le filet d'agneau, dressez-le autour de la chartreuse. Faites légèrement réduire le reste du jus. Incorporez le reste de crème fraîche. Montez le jus au beurre et nappez. Décorez de ciboulette.

# Filets de veau au

1. Nettoyez soigneusement les filets de veau.
Enroulez-les dans le jambon de Parme et ficelez-le.

**Ingrédients :**
2 filets de veau
4 tranches de jambon
 de Parme
50 ml d'huile
1 carotte
2 échalotes
1/2 bouquet d'estragon
thym, laurier
200 ml de vin blanc
250 g de macaroni
200 g de crème fraîche
100 g de beurre
100 g de fribourg
sel, poivre

**Pour 6 personnes**
**Temps de préparation :** 30 mn
**Temps de cuisson :** 50 mn
**Boisson conseillée :** rully blanc
**Difficulté :** ★

2. Dans une cocotte, faites colorer les parures du filet de
veau avec un peu d'huile. Incorporez la carotte, les
échalotes coupées en cubes, ainsi qu'un peu
d'estragon, de thym et de laurier. Mouillez de 200 ml
de vin blanc, de 400 ml d'eau et laissez cuire à feu doux.

Le « prosciutto di Parma », est un jambon particulièrement savoureux, que l'on fait vieillir durant 6 à 8 mois. Le San Daniele, en particulier, est très apprécié des connaisseurs. Vous l'avez sûrement dégusté, en tranches fines, avec du melon ou des figues fraîches. Ce mariage entre le parme et le veau, est une réussite culinaire européenne.

Avant d'envelopper le filet de viande de jambon, vous pouvez, pour raffiner, l'entourer d'une mousse de veau avec une julienne de légumes aux truffes. La tranche ainsi confectionnée sera d'une beauté exceptionnelle.

Faites revenir les parures jusqu'à ce qu'elles obtiennent une belle coloration. Ne mettez qu'une petite goutte d'huile, elles cuiront dans leur graisse.

Vous pouvez remplacer les macaroni par un gratin de courgettes et de tomates, légèrement persillé, par n'importe quel autre gratin de légumes, ou encore par des tomates farcies. Mais, croyez-nous, les macaroni, c'est bien.

Servez chaud, et pensez que, réchauffé, ce plat perdrait son bon goût.

Voilà une manière originale d'habiller votre veau. Il gagnera en charme et en saveurs.

Un rully blanc, vif et fruité, issu de la côte chalonnaise, sera superbe sur ce plat bien paré.

3. Portez une marmite d'eau salée à ébullition et faites
cuire les macaroni. Égouttez-les et rafraîchissez-les.

4. Passez le jus de veau au chinois. Versez la moitié dans
une cocotte. Laissez réduire. Incorporez la moitié de la
crème fraîche. Montez avec 1 cuil. à soupe de beurre.
Ajoutez les macaroni. Remuez bien. Dressez sur le plat
de service. Saupoudrez de fribourg. Réservez au chaud
et faites gratiner au moment de servir.

# parme crème d'estragon

5. Détaillez les filets de veau en médaillons. Salez, poivrez et faites cuire dans une poêle avec un peu de beurre. Dressez sur le plat de service et réservez. Dégraissez la poêle.

6. Déglacez la poêle avec le reste du jus de veau et laissez réduire. Incorporez la crème fraîche et l'estragon haché. Mixez abondamment l'ensemble. Montez au beurre et servez en accompagnement du veau et du gratin de macaroni.

# Profiteroles d'ailes

1. Levez les filets de la pintade. Taillez de petites escalopes. Aplatissez-les légèrement.

**Ingrédients :**
1 pintade
1 carotte
5 petites courgettes fleurs
100 g de beurre
1 bouquet de thym
1 cube de fond brun
4 pommes de terre
2 cuil. à soupe de miel
sel, poivre

**Pour 4 personnes**
**Temps de préparation :** 40 mn
**Temps de cuisson :** 35 mn
**Boisson conseillée :** saint-joseph rouge
**Difficulté :** ★★

2. Épluchez les carottes et les courgettes.
Taillez-les en petits dés. Faites blanchir les légumes dans 2 casseroles d'eau légèrement salée.

Comme vous le constatez, Paul-Louis Meissonnier aime les références pâtissières. La forme de petit chou justifie l'appellation gourmande et sucrée de ce plat que montre la photo. À l'origine, dérivant du mot « profit », les profiteroles étaient de petites gratifications de toutes sortes. Mais, à partir du XVIe siècle, ce mot devient un terme de cuisine exclusivement. Il évoque désormais, le bonheur du gourmet satisfait.

Sauf si vous en avez l'usage par la suite, inutile d'acheter une pintade entière. Prenez seulement les suprêmes, cela simplifiera votre tâche.

Vous pourrez également préparer cette recette avec des cuisses de lapin. Vous battrez la chair pour casser les nerfs et la rendre plus tendre.

La farce sera encore meilleure si vous la préparez la veille. Après la cuisson du foie, réservez-le au froid pour qu'il ait davantage de tenue lorsque vous le couperez en petits dés. Cet abat peut être avantageusement remplacé par des cèpes, des morilles et même des petits champignons de Paris.

Attention au miel, il ne doit pas s'imposer dans votre sauce. Une simple noisette suffira largement.

Voilà un bien joli plat qui donnera à vos dimanches un petit air de fête. Profitez donc de ce délice !

Pour fêter la rencontre de la volaille et du vin, notre sommelier vous invite à déguster un chaleureux saint-joseph rouge.

3. Dans une casserole, faites légèrement revenir ensemble les carottes, les courgettes, un peu de fleur de thym et le foie de la pintade revenu et coupé en dés avec un peu de beurre.

4. Concassez la carcasse de la pintade et faites-la revenir. Délayez le cube de bœuf dans 150 ml d'eau et portez à ébullition. Déposez sur chaque escalope de pintade la valeur d'1 cuil. à soupe de farce. Refermez l'escalope en la ficelant ou en l'enroulant dans une crépine.

# de pintade

5. Versez le fond sur les morceaux de carcasse rissolés. Laissez cuire 10 mn et passer au chinois. Laissez réduire de moitié. Dans un sautoir, faites cuire les profiteroles d'ailes de pintade avec un peu de beurre. Retournez-les plusieurs fois.

6. Épluchez les pommes de terre. Coupez-les en rondelles et faites-les sauter à cru. Dressez les profiteroles sur le plat de service. Dégraissez le plat de cuisson. Incorporez le miel, laissez caraméliser. Déglacez avec le jus de pintade et laissez épaissir à feu doux. Nappez les profiteroles de cette sauce et servez.

# Pot-au-feu de jarret

**Ingrédients :**
2 jarrets de veau
1 chou vert frisé
6 poireaux
3 branches de céleri
6 carottes
6 navets
3 échalotes
3 cuil. à soupe
  de vinaigre vieux
3 cuil. à soupe
  de vinaigre de xérès
200 ml d'huile d'arachide
sel, poivre du moulin

**Pour 8 personnes**
**Temps de préparation :** 30 mn
**Temps de cuisson :** 2 h
**Boisson conseillée :** cahors
**Difficulté :** ★

1. Dans une marmite d'eau légèrement salée, faites cuire les jarrets, en écumant de temps en temps, dans de l'eau salée et poivrée.

Faisons la nique aux journées grises et pluvieuses et réchauffons-nous le cœur à l'idée d'un pot-au-feu vigoureux. Il mettra de bonne humeur toute la maisonnée. Ce pot-au-feu se veut tentant ! Ne résistez pas.

Douillettement mitonné, il comblera d'aise vos invités.

Cette potée joyeuse exigera du temps. Sa cuisson est longue et vous demandera de lui consacrer une bonne matinée. Mais souvenez-vous de ces temps révolus, où très tôt la cuisine embaumait de bonnes odeurs mêlées annonciatrices d'un savoureux plat mijoté. Votre patience sera récompensée par le succès que vous récolterez.

Aucune difficulté de préparation pour ce plat délicieux et cependant économique. Juste un peu d'attention pour la cuisson des légumes. Il ne s'agit pas de tout confondre en une soupe onctueuse mais de permettre à chacun des légumes de garder une bonne présentation.

Conservez un peu de bouillon dans le plat de service, pour maintenir le moelleux des viandes et déployer tous les parfums.

Convivial par excellence, le pot-au-feu offre à tous la joie du grand plat partagé, savouré de concert, dans le grand bonheur d'être ensemble.

Pour notre sommelier, ce plat rustique et goûteux mérite un vin franc et plein de mâche. Il vous suggère un cahors (château-de-haute-serre).

2. Nettoyez tous les légumes. Coupez le chou en quatre. Ficelez les poireaux. Coupez le céleri en bâtonnets et ficelez-les.

3. Aux 3/4 de la cuisson des jarrets, ajoutez les légumes.

4. Hachez finement les échalotes et confectionnez une vinaigrette avec le sel, le poivre, les vinaigres, les échalotes hachées et l'huile.

# de veau ménagère

5. Dressez les jarrets sur le plat de service. Égouttez les poireaux et le céleri. Retirez les ficelles. Placez-les autour des jarrets.

6. Ajoutez le reste des légumes sur le plat : carottes et navets. Conservez un peu de bouillon et servez le tout accompagné de la vinaigrette tiède à l'échalote.

# Paupiettes de volaille

**Ingrédients :**
4 blancs de volaille
film alimentaire
1 bouquet de cresson
2 échalotes
100 g de beurre
150 g de crème fraîche
1 cube de fond de volaille
 ou 100 ml de fond
 de volaille
1 filet de truite de mer
sel, poivre

1. Fendez les escalopes de volaille en deux, puis à l'aide d'une batte, aplatissez-les. Levez les filets de truite, coupez des tronçons que vous disposez au centre des escalopes de volaille, salez et poivrez légèrement.

**Pour 4 personnes**
**Temps de préparation :** 35 mn
**Temps de cuisson :** 15 mn
**Boisson conseillée :** jurançon moelleux
**Difficulté :** ★★

2. Refermez les escalopes de volaille, puis roulez-les dans un film alimentaire et fermez hermétiquement les extrémités. Faites-les cuire dans un couscoussier ou un cuit-vapeur pendant 8 mn environ.

Cette alliance surprenante de volaille et de truite donne à ces paupiettes leur pleine valeur harmonique.

Aplatissez bien les escalopes de volaille. Elles doivent être très fines afin que vous puissiez les rouler sans difficulté. Fermez soigneusement le film alimentaire qui enveloppe les paupiettes pour qu'aucune humidité n'intervienne pendant leur cuisson.

Ficelez bien les extrémités afin de les rendre bien étanches et parfaitement hermétiques. À défaut de truite de mer, utilisez du saumon ou même une queue de langouste. Vous pouvez, tout en conservant au plat son originalité, remplacer les escalopes de volaille par de fines escalopes de veau.

N'oubliez pas les feuilles de cresson dans le fond de volaille : elles perdraient de leur saveur. Leur cuisson doit être extrêmement rapide. Sachez également qu'une sauce à l'oseille ou au persil plat conviendrait tout aussi bien, si toutefois le cresson vous fait défaut.

Vous ne disposez pas de couscoussier ou de cuit-vapeur pour faire cuire les paupiettes ? Ce n'est pas un problème ! Laissez-les tout simplement pocher dans le fond de volaille. Pour rester dans le ton, et jouer sur un beau camaïeu de verts, vous pouvez servir ces paupiettes accompagnées de brocolis.

Notre sommelier nous précise que la palette aromatique d'un jurançon moelleux est inimitable : elle va de la pêche blanche à l'ananas en passant par la cannelle.

3. Épluchez, hachez finement les échalotes et faites-les légèrement revenir au beurre.

4. Incorporez la crème épaisse, salez légèrement et laissez réduire quelques instants à feu doux.

# à la truite de mer

5. Portez la valeur de 100 ml de fond de volaille (voir page 233) à ébullition, puis faites pocher les feuilles de cresson. Faites-les cuire quelques secondes, puis passez-les au mixeur. Réservez.

6. Incorporez le jus de cresson à la sauce précédente, rectifiez l'assaisonnement, donnez un tour de bouillon et montez le tout avec le reste du beurre. Nappez le fond de l'assiette et servez les paupiettes de volaille accompagnées de cette sauce. Décorez de quelques feuilles de cresson.

# Selle d'agneau tout

1. Désossez la selle d'agneau et dégraissez les rognons. Salez et poivrez l'intérieur de la selle.

**Ingrédients :**
1,2 kg de selle d'agneau
2 rognons d'agneau
1 feuille de laurier
1 carotte
1 oignon
100 g de beurre
3 cuil. à soupe d'huile
1 bouquet garni
200 ml de vin blanc
1 bouquet de cresson
thym
100 ml de vinaigrette
estragon frais
sel, poivre blanc

**Pour 6 personnes**
**Temps de préparation :** 20 mn
**Temps de cuisson :** 30 mn
**Boisson conseillée :** chinon
**Difficulté : ★**

Voici un plat léger qui sera bienvenu aux lendemains d'agapes généreuses, ou pour un dîner en tête à tête. Si vous faites désosser la selle par votre boucher, n'oubliez pas de lui demander de garder les parures et les os, ils vous serviront à la préparation de votre jus. Assaisonnez l'intérieur de la viande avant de la fermer pour la ficeler. Ne l'oubliez pas, l'agneau serait fade sans cette petite adjonction, et vous pouvez même, pour accentuer le goût, mettre aussi un peu de fleur de thym.

Pour que la viande soit tendre et moelleuse, arrosez bien et souvent la selle durant la cuisson. Ne la découpez pas tout de suite : laissez-la reposer 15 mn pour qu'elle étuve dans son jus, elle n'en sera que meilleure.

Le gratin d'aubergine est un accompagnement de choix pour ce plat. La légèreté, en bonne cuisine, ne saurait négliger la recherche du goût. Le mariage de l'estragon frais, de l'agneau et du cresson est une pure merveille. L'essayer, c'est l'adopter !

Notre sommelier précise qu'un chinon (clos-de-l'écho) arrosera magnifiquement ce plat. Ces remarquables vins rouges ont la vertu de savoir vieillir à merveille.

2. Reconstituez la selle et ficelez-la en y ajoutant une feuille de laurier. Épluchez la carotte, l'oignon et taillez-les en bâtonnets. Confectionnez un bouquet garni.

3. Dans une plaque de cuisson, déposez la selle. Salez-la et poivrez-la. Déposez une noisette de beurre. Arrosez d'huile et faites rôtir à four chaud 10 mn.

4. Retirez la selle du four. Ajoutez les os d'agneau concassés, ainsi que les carottes, les oignons et le bouquet garni. Laissez revenir pendant 10 mn environ au four.

# simplement rôtie

5. Sortez la selle du plat de cuisson et réservez.
Dégraissez la plaque et déglacez-la avec 200 ml
de vin blanc. Rajoutez 400 ml d'eau. Salez légèrement,
poivrez et laissez cuire à feu doux 15 mn environ.
Dans une poêle, faites saisir les rognons coupés en
deux d'un seul côté avec de l'huile.

6. Au moment de servir, tranchez la selle d'agneau et
dressez-la sur le plat de service. Passez le jus au
chinois. Laissez réduire légèrement. Montez au beurre
et servez accompagné de bouquets de cresson et de la
vinaigrette.

# Tournedos

**Ingrédients :**
4 petits tournedos
  de 100 g
500 ml de lait
muscade
125 g de fine semoule
2 œufs
2 cuil. à soupe d'huile
100 g de beurre
200 ml de vin rouge
200 ml de fond lié
4 champignons de Paris
sel, poivre

**Pour 4 personnes**
**Temps de préparation :** 30 mn
**Temps de cuisson :** 20 mn
**Boisson conseillée :** savigny-lès-beaune
**Difficulté :** ★★★

1. Dans une casserole, portez le lait à ébullition. Salez, poivrez et râpez un peu de muscade. Versez en pluie la fine semoule en remuant énergiquement. Laissez cuire ; lorsque la pâte atteint une bonne résistance, incorporez les œufs. Fouettez à nouveau.

Quoi que son nom laisse à penser qu'il s'agit là d'un casse-croûte, ceci n'est pas une provision de bouche à emporter en excursion !
Pour réaliser ce plat sympathique, saisissez les tournedos pour les garder bien saignants. Si vous préférez la viande cuite, choisissez plutôt du filet mignon de porc ou de veau.
Les gnocchi à la romaine qui habilleront la viande doivent être également saisis des deux côtés pour éviter qu'ils ne se détrempent dans la sauce lors du dressage.
Ce plat se sert tout chaud, immédiatement après cuisson. Ne le réchauffez pas, la viande deviendrait dure.
Cette recette égaiera vos repas quotidiens et leur donnera un peu de fantaisie. Les tournedos, à faible teneur en matières grasses, seront parfaits pour un repas tout en légèreté.
Pour le sommelier, le rustique des gnocchi sur le plat exige un vin qui soit à la fois tendre et puissant. Il vous conseille un savigny-lès-beaune.

2. Sur une plaque légèrement huilée, versez la préparation précédente et étalez-la avec une spatule en laissant environ 1 cm d'épaisseur. Laissez entièrement refroidir au réfrigérateur.

3. À l'aide d'un emporte-pièce, coupez des disques de semoule dans la préparation et faites-les revenir avec 30 g de beurre. Salez et poivrez.

4. Dans une poêle, faites cuire les tournedos saignants. Salez et poivrez. Versez les 200 ml de vin rouge, laissez réduire de moitié et incorporez 200 ml de fond lié.

# en sandwichs

5. Après quelques secondes de réduction, montez la sauce au beurre.

6. Dressez les sandwichs en disposant un disque de semoule au fond du plat, surmonté d'un tournedos et de l'autre disque de semoule. Nappez de la sauce et servez le tout bien chaud, accompagné d'une tête de champignon pochée.

# Pigeonneaux

1. Nettoyez correctement les pigeonneaux, flambez-les et bridez-les. Salez et poivrez. Faites rôtir les pigeonneaux dans une cocotte avec 40 g de beurre et 1 cuil. à soupe d'huile.

**Ingrédients :**
4 pigeonneaux
150 g de beurre
40 ml d'huile d'arachide
1 échalote
4 tranches de bacon
1 cuil. à soupe d'herbes
300 ml de bon vin
  de Bordeaux
400 g de pleurotes
sel, poivre

**Pour 4 personnes**
**Temps de préparation :** 20 mn
**Temps de cuisson :** 30 mn
**Boisson conseillée :** château-patris
**Difficulté : ★**

2. Hachez finement l'échalote et coupez le bacon en tranches. Retournez de temps à autre les pigeonneaux.

Le pigeonneau est un pigeon tout jeune et particulièrement tendre. Il a les mêmes qualités que le poulet, et sa chair très digeste est riche en protéines.
Vous allez renouer avec la tradition culinaire qui apprêtait ces oiseaux pour le délice des grands.
Vous pouvez aussi réaliser cette recette avec des cailles ou des palombes selon la saison. Ce plat, que le bacon parfume agréablement est simple et rapide à réaliser. Il se sert chaud accompagné d'un gratin de courgettes et de pleurotes.
Ces pigeonneaux se réchauffent très bien et peuvent se conserver 2 à 3 jours au réfrigérateur.
Même si vous n'avez pas été avisée du jour exact de l'arrivée de vos chers invités, vous serez toujours en mesure, avec ces « pigeonneaux 'papale'», de les accueillir divinement.
Notre sommelier vous propose un saint-émilion charnu pour accompagner ce respectable plat d'automne. Il a sélectionné pour vous, et peut-être pour son grand nom de vrai patriarche, un château-patris.

3. En fin de cuisson, saupoudrez les pigeonneaux d'échalote, remuez, incorporez le bacon et laissez cuire.

4. Saupoudrez les pigeonneaux d'1 cuil. à soupe d'herbes, couvrez la cocotte et laissez les pigeonneaux s'embaumer de ce parfum.

# « papale »

5. Versez maintenant 200 ml de bordeaux, couvrez à nouveau et laissez cuire doucement. Dressez les pigeonneaux, laissez réduire la sauce et montez-la au beurre.

6. Dans une poêle, faites sauter les pleurotes dans 50 g de beurre. Salez et poivrez. Accompagnez les pigeonneaux des tranches de bacon, des pleurotes et de la sauce.

# Poularde de Bresse grillée

**Ingrédients :**
1 poularde de 1,9 kg
4 citrons verts
200 g de beurre
1 branche d'estragon
1 bouquet de persil
1 bouquet de ciboulette
150 ml de jus de viande
  ou 1 cube de fond de
  bœuf
sel, poivre

1. Coupez 1 citron vert en fines rondelles. Flambez et videz la volaille. Glissez le doigt sous la peau de la volaille afin de la décoller et introduisez les rondelles de citron. Ficelez la volaille.

**Pour 6 personnes**
**Temps de préparation :** 15 mn
**Temps de cuisson :** 40 mn
**Boisson conseillée :** vouvray sec
**Difficulté :** ★

2. Déposez un plat de cuisson sur le feu et mettez un peu de beurre dans le plat. Salez, poivrez la volaille et faites-la rôtir en l'arrosant fréquemment.

Cette volaille de nos campagnes, à la saveur sereine, va se trouver tout excitée de rencontrer cette acidité exotique, venue tout droit des Tropiques. Ils vont filer l'amour parfait et vous donner un goût nouveau. Claude Patry vous conseille pour la volaille de rester dans le haut de gamme. Vous pourrez aussi choisir un poulet noir ou des Landes, pour que cette union insolite puisse être respectée. La seule opération un peu délicate consiste à décoller la peau de la volaille. Démarrez par le cou, et procédez doucement. C'est presque un travail d'orfèvre. La cuisson doit être douce pour ne pas éclater la peau. Arrosez souvent lors de la cuisson pour faciliter la coloration et le croustillant. Surtout ne piquez pas avec une fourchette. Les temps de cuisson varient avec le poids de la volaille. Le chef vous confie un secret : pour ne pas vous tromper sur le stade de cuisson de la poularde, retournez-la, si le jus qui s'écoule du croupion est rouge ou rosé : elle n'est pas encore cuite. Quand il devient transparent, la poularde est à point.
Si vous décidez de la consommer froide, vous pourrez la préparer la veille. Elle est alors idéale pour un pique-nique. Le plaisir sera complet : grand air, soleil et citron vert ! Le chef vous conseille néanmoins de ne pas trop forcer la dose de citron car il ne faut pas noyer le goût de la volaille.
Notre sommelier vous conseille un vouvray sec (domaine G. Huet).

3. Hachez l'estragon et le persil. Émincez la ciboulette et taillez le zeste d'un citron vert. Pressez le jus d'un autre citron.

4. Délayez le cube de fond de bœuf dans 150 ml d'eau ou préparez du jus de viande (voir page 230).
Dégraissez le plat de cuisson de la volaille et déglacez avec le jus de viande et le jus de citron.

# sauce acidulée

5. Après une légère réduction de la préparation, passez-la au chinois dans une casserole et incorporez l'ensemble des fines herbes.

6. Montez la préparation précédente au beurre. Nappez la volaille, accompagnez-la des zestes de citron préalablement blanchis et de quartiers de citron pelés à vif.

# Filet de bœuf au ragoût

**Ingrédients :**
1 filet de bœuf
  de 800 g environ
1 oignon
1 carotte
1 cuil. à soupe d'huile
1 laitue
1 tête d'ail
1 bouquet de persil
48 escargots
100 g de beurre
100 ml de vin blanc
sel, poivre

**Pour 4 personnes**
**Temps de préparation :** 20 mn
**Temps de cuisson :** 30 mn
**Boisson conseillée :** côtes-du-roussillon
**Difficulté : ★**

1. Épluchez l'oignon, la carotte et coupez-les en petits dés. Dans une plaque, chauffez l'huile et faites revenir le filet de bœuf. Salez et poivrez. Une fois doré, ajoutez l'oignon, la carotte et terminez la cuisson à feu doux.

Dans le Roussillon, mais aussi dans le comté de Foix, il est une tradition appelée la « cargolade ». Les lundis de Pâques ou de Pentecôte, on aime déguster, accompagnés de pain, d'aïoli et de persil, des escargots grillés sur les braises d'un feu de sarments.

Fidèle à cette coutume ancestrale, notre chef catalan a eu l'idée d'un mariage insolite entre des petits-gris et de la viande rouge. L'accord parfait qui en résulte va vous séduire par son raffinement.

Vous pouvez aussi, à la place du filet, prendre de l'entrecôte ou du rumsteck. L'essentiel est que vous gardiez la viande bien rouge pour découper de belles tranches.

Attendez le dernier moment pour faire cuire la laitue dont vous aurez choisi les feuilles vertes : elles noircissent moins vite et garderont ainsi la beauté de votre plat.

Ce mets aime être corsé, n'hésitez pas à rajouter du cayenne ou du poivre.

Cette recette est rapide et facile. Sans être authentiquement du terroir, elle a su conserver un côté régional sympathique et concilier les deux amours de la gastronomie catalane que sont la viande rouge et les escargots.

Ce plat se sert chaud, il donnera à vos hivers ou à vos Pâques une saveur puissante.

La robe noire et les arômes d'épices du château-de-jau (côtes-du-roussillon) vous enchanteront.

2. Nettoyez la laitue, puis émincez-la finement. Hachez l'ail et le persil. Dans une poêle, faites revenir les escargots salés et poivrés avec du beurre.

3. Ajoutez le persil, l'ail haché et laissez revenir.

4. Réservez le filet de bœuf. Dégraissez le plat de cuisson et déglacez avec le vin blanc.

# d'escargots

5. Ajoutez les escargots revenus à la préparation précédente.

6. Ajoutez la salade ciselée. Laissez mijoter à feu doux pendant quelques minutes. Coupez le filet de bœuf en tranches et accompagnez-le de la préparation.
Servez chaud.

# Confit de canard

1. Levez les cuisses du canard, détaillez les ailerons, désossez le canard et concassez la carcasse.

**Ingrédients :**
1 canard gras
5 baies de genièvre
1 bouquet garni
3 kg de graisse de canard
1 carotte
1 oignon
1 poireau
1 branche de céleri
2 tomates
1 gousse d'ail
1 bocal de verjus (environ 300 g avec grains et jus)
750 g de pommes de terre
gros sel (12 g par kg)
poivre

**Pour 6 personnes**
**Temps de préparation :** 40 mn
**Temps de cuisson :** 2 h 30
**Macération :** 24 h
**Boisson conseillée :** madiran
**Difficulté :** ★

2. Faites mariner le canard au gros sel pendant environ 24 h, en y incorporant les baies de genièvre, le bouquet garni et le poivre.

Nous voici transportés au cœur du pays périgourdin. Cette recette est un peu longue à préparer avec sa cuisson mijotée, digne des cuisines de nos grands-mères. Réservez-la pour les jours où vous aurez du temps et envie de faire plaisir à ceux que vous aimez.

La marinade, constituée ici de gros sel et d'herbes, est une phase importante pour la réussite de votre plat. Il lui faut 24 h pour être efficace.

La graisse dans laquelle vous allez faire cuire le canard doit juste frémir. La cuisson du canard doit être lente, de façon à emprisonner tous les éléments gustatifs qui apportent moelleux, fondant et délicatesse, et donnent aux grandes recettes traditionnelles leur cachet.

Le passage au four est important, il va donner à la peau son croustillant et enlever aussi l'excès de graisse.

Le verjus, suc du raisin vert ou imparfaitement mûri, vient par son acidité casser le gras du confit.

Et sachez aussi que le canard est une viande riche, énergétique, qui contient du phosphore, du potassium et de la vitamine B3.

Servez bien chaud. Immergé dans la graisse de canard, ce plat peut se conserver une semaine.

Notre sommelier a choisi un château-de-montus, car pour lui le madiran est inséparable du confit de canard : sa virilité et son élégance vous étonneront.

3. Le lendemain, retirez les cuisses de canard, ainsi que les magrets, du sel et lavez-les si nécessaire. Chauffez les 3 kg de graisse de canard, ajoutez le canard et faite confire à feu doux durant 2 h. La graisse ne doit absolument pas bouillir.

4. Épluchez la carotte, l'oignon, le poireau, le céleri, les tomates et l'ail, puis coupez le tout en mirepoix.

# au verjus

5. Faites revenir la carcasse du canard, afin qu'elle soit bien colorée. Ajoutez ensuite l'ensemble des légumes, mélangez bien, salez et poivrez. Mouillez à hauteur avec de l'eau et la moitié du jus de verjus. Laissez cuire une vingtaine de minutes à feu doux.

6. En fin de cuisson, passez le jus de canard au chinois, incorporez les petits grains de verjus et faites chauffer. Servez le confit préalablement grillé 15 mn au four, accompagné du jus de canard et des pommes de terre sautées.

# Mignon de porc au

1. Épluchez le filet de porc. Coupez-le en petits tronçons de 2 cm d'épaisseur. Coupez les courgettes en bâtonnets, émincez l'oignon et coupez le gingembre en fine julienne. Dans une casserole, faites revenir les oignons avec un peu de beurre.

**Ingrédients :**

1 filet mignon de porc
4 courgettes
1 oignon
1 racine de gingembre
100 g de beurre
1 cuil. à soupe de miel
1 gousse d'ail
1 cuil. à café de curry
1 cuil. à soupe de vinaigre
  de vin rouge
100 ml de vin blanc
1 cube de fond de veau
100 ml de vinaigre
  de framboise
sel, poivre

**Pour 4 personnes**
**Temps de préparation :** 40 mn
**Temps de cuisson :** 40 mn
**Boisson conseillée :** saint-joseph blanc
**Difficulté :** ★★

2. Une fois les oignons aux 3/4 cuits, incorporez les courgettes et remuez. Faites blanchir le gingembre dans 2 ou 3 eaux différentes et terminez la cuisson.

Saviez-vous que le gingembre était un peu cousin, botaniquement parlant, des orchidées ? Sa patrie d'origine est l'Inde orientale, pays fabuleux, riche en épices, dont ont toujours rêvé les voyageurs conquérants du temps des grandes découvertes. Son nom latin *lingiber* dérive du sanscrit *sringavera*.

Très prisé pour ses vertus thérapeutiques, le gingembre a suscité bien des commentaires. Il fait à présent les délices des gourmets du monde entier. Et tout le monde s'accorde à reconnaître qu'il facilite la digestion.

Ici, Christian Ravinel a blanchi le gingembre pour en atténuer le goût, mais si vous désirez plus de force, vous vous passerez de cette opération.

Cet ensemble aigre-doux, tout à fait singulier, exige un palais amateur de surprises, friand de tous les dépaysements.

Si au porc vous préférez l'agneau ou bien le veau, ce plat sera tout aussi succulent.

Vous pouvez servir le porc froid, mais les courgettes, elles, doivent être bien chaudes.

Que vos amis amateurs d'exotisme se réjouissent, vous leur proposez avec cette recette un voyage au long cours. Régalez-vous avec cette belle traversée du monde des épices. Le gingembre n'est pas aussi exubérant qu'il y paraît, et les grands vins blancs du Rhône font bon ménage avec lui. Notre sommelier vous conseille un saint-joseph blanc.

3. Incorporez aux courgettes, le miel, l'ail, le curry et une pincée de gingembre. Laissez cuire en prenant soin de remuer fréquemment. Salez et poivrez légèrement. Mouillez avec le vinaigre de vin rouge et le vin blanc.

4. Pendant la cuisson des courgettes, faites cuire les médaillons de porc légèrement salés et poivrés.

# gingembre et courgettes

5. Portez 150 ml d'eau à ébullition, puis faites fondre le cube de fond de veau. Dégraissez le plat de cuisson du porc puis déglacez avec le vinaigre de framboise. Déglacez le poêlon de cuisson avec le fond brun, laissez réduire quelques instants, incorporez le gingembre.

6. Dressez les médaillons de porc sur le plat de service et nappez-les de la sauce, préalablement montée au beurre. Disposez de quelques filaments de gingembre sur les morceaux de porc et servez avec les courgettes confites.

# Pintade rôtie

1. Flambez, videz et nettoyez correctement la pintade. Ficelez-la et réservez-la. Lavez soigneusement les poireaux et coupez-les en biais d'1 cm d'épaisseur environ.

**Ingrédients :**

1 pintade
 de 1 kg environ
4 gros poireaux
80 ml d'huile
50 g de beurre
2 oignons
3 carottes
50 g de poitrine
 de porc salée
600 ml de fond de volaille
2 branches d'estragon
1 bouquet de ciboulette
sel, poivre

**Pour 4 personnes**
**Temps de préparation :** 15 mn
**Temps de cuisson :** 40 mn
**Boisson conseillée :** saint-émilion
**Difficulté :** ★

2. Dans un plat allant au four, faites chauffer l'huile. Salez, poivrez et beurrez la pintade. Faites-la rôtir à four moyen pendant 35 à 40 mn environ.

Originaire d'Afrique, où vivent encore certaines espèces sauvages, la pintade, connue et appréciée des Romains qui la nommaient « poule de Numidie » ou « de Carthage », est aujourd'hui une sage volaille de basse-cour, mais combien savoureuse !

Plus goûteuse et plus originale que le traditionnel poulet, elle en a cependant la simplicité. Ce savoureux apprêt que vous propose Michel Robert ne vous demandera aucun travail et ne présente aucune difficulté de réalisation.

Vous pouvez également faire cette préparation en choisissant un bon lapin. Arrosez copieusement en cours de cuisson pour éviter que la viande ne se dessèche.

Servez ce plat odorant bien chaud. Vous pourrez le réchauffer sans problème, quelques heures après sa préparation, ou même le lendemain.

Réjouissez-vous ! Voilà une pintade en habit du dimanche qui viendra faire chanter le septième jour de la semaine !

Notre sommelier vous rappelle que vous devez vous méfier de l'estragon qui n'hésite pas, en vert-galant qu'il est, à déshabiller tous les vins. Choisissez un vin plutôt jeune qui saura mieux lui résister, un saint-émilion par exemple.

3. Faites fondre dans une cocotte 1 cuil. à soupe de beurre. Incorporez ensuite les poireaux. Salez. Couvrez-les d'eau à hauteur. Laissez cuire l'ensemble à feu doux pendant 8 à 12 mn.

4. Épluchez les carottes et les oignons, puis taillez-les en petits dés. Coupez également la poitrine de porc salée.

# à l'effluve d'estragon

5. 10 mn avant la fin de la cuisson, retirez la pintade du four et incorporez la garniture. Dégraissez légèrement le plat, remuez et faites cuire à four doux pendant 5 mn. Déglacez le plat avec le fond de volaille.

6. Laissez réduire de moitié. Passez le jus au chinois et montez-le au beurre. Dressez la pintade sur son lit de poireaux et arrosez-la de jus en incorporant l'estragon ciselé. Servez chaud. Saupoudrez de ciboulette émincée.

# Pigeonneaux aux

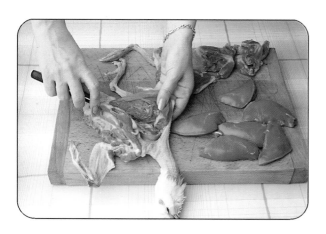

**Ingrédients :**
3 pigeonneaux
1 oignon
1 carotte
100 ml d'huile
1 bouquet garni
200 ml de vin blanc
500 g de girolles
50 g de beurre
100 ml de crème fraîche
1 barquette de groseilles
sel, poivre

**Pour 3 personnes**
**Temps de préparation :** 1 h
**Temps de cuisson :** 1 h 10
**Boisson conseillée :** latour 64
**Difficulté : ★**

1. Flambez, videz et désossez les pigeonneaux. Retirez la peau et réservez les suprêmes. Désossez les cuisses, conservez un morceau de pilon, retournez la chair sur le pilon et ficelez afin qu'il ne se rétracte pas. Concassez les carcasses de pigeonneaux. Épluchez les oignons et la carotte. Taillez-les en cubes.

Les suprêmes, à l'origine blancs de volaille, puis filets de gibier ou de poisson, sont un mets tendre et délicat, qui, en cuisine, a suscité des apprêts de grand style. La chair du pigeonneau est particulièrement exquise, car cet oiseau tout jeune n'a pratiquement jamais volé. C'est dire que ces suprêmes seront hautement supérieurs.

Suivez bien attentivement les conseils d'Armand Roth pour préparer les jambonnettes. Cette opération vous demandera un peu de doigté, mais elle est amusante à réaliser. Elle donnera à votre plat une agréable originalité.

Réservez les carcasses de pigeonneaux pour faire le jus. Ajoutez une brunoise : oignons, carottes, aromatisés de thym et de laurier. Après réduction, vous allez obtenir une sauce parfumée d'une finesse exceptionnelle.

Ces suprêmes de pigeonneaux méritent d'être servis sur vos tables les plus choisies. Pour un repas important, professionnel ou amoureux, ils sauront assurément bien arranger vos affaires.

Arrosez-les sans hésiter d'un latour 64.

2. Confectionnez un jus de pigeon. Faites revenir avec un peu d'huile les carcasses de pigeonneaux. Ajoutez la garniture : oignon, carotte, bouquet garni. Versez le vin blanc. Recouvrez d'eau. Salez, poivrez et laissez cuire 30 mn à feu doux.

3. Dans une poêle, faites revenir les girolles nettoyées avec un peu de beurre. Salez et poivrez.

4. Versez un peu d'huile et une pointe de beurre dans une sauteuse, laissez chauffer, puis faites cuire les suprêmes et les cuisses assaisonnés.

# groseilles et girolles

5. et 6. Débarrassez les suprêmes et les cuisses.
Dégraissez le plat et déglacez avec le jus de pigeonneau.
Incorporez les 3/4 des girolles au jus de pigeonneau.
Laissez étuver. Mixez abondamment. Ajoutez la crème.
Laissez épaissir à feu doux.

Rectifiez l'assaisonnement. Au moment de servir, montez
la sauce au beurre. Nappez le fond du plat de service.
Déposez les pigeonneaux accompagnés de groseilles
fraîches et du reste de girolles. Servez chaud.

# Poularde villageoise

1. Flambez et videz la poularde. Découpez-la en quartiers.

**Ingrédients :**
1 belle poularde
100 g de beurre
50 ml d'huile
1 botte de petites
  carottes nouvelles
1 botte de petits navets
300 g de haricots
  verts fins
300 g de champignons
  de Paris
1 citron
500 ml de crème fleurette
sel, poivre

**Pour 4 personnes**
**Temps de préparation :** 35 mn
**Temps de cuisson :** 30 mn
**Boisson conseillée :** moulin-à-vent
**Difficulté :** ★

2. Dans une cocotte, faites revenir les quarts de volaille légèrement salés et poivrés avec l'huile et un peu de beurre. Épluchez l'ensemble des légumes et tournez-les. Équeutez les haricots verts et coupez les champignons en quartiers.

Voici une poularde fière qui sait également être des villes et des champs. La volaille doit bien colorer, aussi démarrez la cuisson à feu vif. Rappelez-vous que le mélange huile et beurre vous permet d'éviter que le beurre ne noircisse, ce qui gâcherait ensuite l'aspect de votre plat.

Dégraissez votre marmite, pour la légèreté finale, avant d'ajouter le jus de champignons. Laissez réduire aux 3/4 pour que la chair de la poularde s'imprègne abondamment de la saveur des champignons.

Les légumes nouveaux sont évidemment de mise avec pareille finesse. Colorés, tendres et croquants, ils s'offrent en parure printanière pour rehausser cette belle villageoise.

Odorante à souhait, cette poularde, dès qu'elle paraît, est une vraie promesse de bonheur en bouche. Vos amis invités ainsi sollicités ne vont pas manquer de s'en régaler.

Un moulin-à-vent (Georges Dubœuf) : notre sommelier affirme, en grand connaisseur, que l'élégance de ce grand cru du beaujolais sera le garant de la réussite de votre repas.

3. Dans une casserole, faites cuire les champignons avec 1 cuil. de beurre, le jus de citron et 200 ml d'eau. Salez légèrement. Pochez séparément dans l'eau salée en les conservant légèrement croquants : les haricots verts, les carottes et les navets. Passez la cuisson des champignons dans une casserole et réservez-la.

4. Une fois la poularde bien dorée, dégraissez la cocotte. Versez le jus de champignons et laissez cuire à l'étouffée 20 mn.

# du bocage bressan

5. Versez maintenant la crème fleurette, salez, poivrez, couvrez et laissez cuire 10 mn environ à feu doux.

6. Au moment de servir, rectifiez l'assaisonnement si nécessaire, incorporez les légumes. Laissez mijoter quelques instants, dressez l'ensemble sur le plat de service et passez la sauce au chinois. Nappez et servez bien chaud.

# Gigot d'agneau

**Ingrédients :**
1 gigot de 2 kg environ
4 rognons d'agneau
4 gousses d'ail
4 cuil. à soupe d'huile
4 tomates
1 cube de fond de veau
500 g de pâte feuilletée
1 œuf
quelques filets d'anchois
sel, poivre blanc

1. Retirez le quasi du gigot, parez-le sommairement, épluchez l'ail et piquez-le dans le gigot. Concassez les os grossièrement.

**Pour 8 personnes**
**Temps de préparation :** 25 mn
**Temps de cuisson :** 40 mn
**Boisson conseillée :** château lynch-bages pauillac
**Difficulté :** ★★

2. Chauffez le plat de cuisson et faites dorer le gigot préalablement salé et poivré. Ajoutez les os et faites rôtir le gigot aux 3/4 à four vif pendant 15 mn environ.

« À l'arlésienne » en cuisine se dit d'une garniture provençale et typée. En aucun cas ici, il ne s'agit de jouer l'Arlésienne qui se promet toujours et qui ne vient jamais…

L'agneau est culinairement connu sous son nom le plus tendre : l'agneau de lait. Cette jeune bête nouvellement née, n'a pas encore été sevrée et n'a jamais brouté. Nourri au lait maternel, l'agneau offre une chair délicate. Pour ne pas avoir à affronter les petits problèmes que peut donner le désossage du gigot, demandez à votre boucher de le faire pour vous.

Faites cuire dans 2 poêles séparées les rognons et les tomates, afin d'éviter que ces dernières, plus fragiles, ne s'écrasent en purée. Les anchois que vous rajouterez à la sauce doivent être hachés très fin pour pouvoir se fondre parfaitement. Le feuilletage va permettre d'emprisonner tous les parfums dans un écrin croustillant, qui ne livrera ses secrets qu'au moment du découpage. Le gigot doit être cuit aux 3/4 quand vous l'envelopperez de pâte, car celle-ci cuit très vite.

Vous pouvez accompagner ce « gigot d'agneau en croûte arlésienne » de petits légumes nouveaux passés au beurre, ou de mousseline d'artichauts, ou encore d'un succulent gratin d'asperges.

Il a la chaleur des réunions de famille et la beauté des plats de prestige.

Notre sommelier vous propose un grand classique. Mais tellement exceptionnel : un château-lynch-bages (pauillac).

3. Coupez les rognons en petits dés. Pelez et épépinez les tomates. Coupez-les en petits dés.

4. Dans une poêle, faites saisir les rognons avec de l'huile. Salez et poivrez. Faites revenir légèrement la concassée de tomate.

# en croûte arlésienne

5. Une fois le gigot cuit, laissez-le refroidir. Délayez le cube de fond de veau dans 200 ml d'eau. Dégraissez le plat de cuisson du gigot et déglacez avec le fond. Laissez réduire de moitié. Passez au chinois et réservez.

6. Une fois refroidi, enveloppez le gigot avec la pâte feuilletée, passez-le à l'œuf battu et faites-le cuire 20 mn environ à four moyen. Poivrez le jus à ébullition. Incorporez la concassée de tomate, les rognons, les anchois coupés en petits dés et servez accompagné du gigot en croûte.

# Filet de bœuf aux échalotes

**Ingrédients :**
4 tournedos de 200 g
  (filet de bœuf)
12 bons morceaux
  de moelle
400 g d'échalotes
600 ml de vin rouge
2 cuil. à soupe de sucre
100 g de beurre
1 bouquet garni
100 ml d'huile
poivre mignonnette
1 cube de bouillon
1 branche de cerfeuil
gros sel
sel, poivre

**Pour 4 personnes**
**Temps de préparation :** 20 mn
**Temps de cuisson :** 35 mn
**Boisson conseillée :** château-lascombes
**Difficulté : ★**

1. Mettez de côté 2 échalotes et épluchez le reste. Portez à ébullition une casserole contenant de l'eau et faites blanchir 2 mn les échalotes. Égouttez-les et faites-les cuire dans 400 ml de vin rouge avec 2 cuil. à soupe de sucre.

En boucherie, le filet est un muscle de la région lombaire fournissant des morceaux de première catégorie, extrêmement tendres, mais de faible saveur. Les apprêts goûteux lui conviennent donc particulièrement bien. Ce morceau de viande, très maigre, est conseillé à tous ceux qui sont soucieux de leur ligne. Il est riche en phosphore, potassium et vitamine B3.

Vous pouvez faire cette même recette avec du canard.

Pour que les échalotes confites soient parfaites, Gérard Royant vous conseille de faire réduire le vin sucré jusqu'à ce qu'il atteigne une consistance sirupeuse.

Servez bien chaud, accompagné de petites pommes noisettes. Ce plat ne se réchauffe pas. Cette recette est idéale pour bien recevoir des invités que vous désirez surprendre par votre talent culinaire.

Pour trouver un juste équilibre au goût sucré des échalotes, il faudra un rouge de grande classe, du vignoble de Margaux, par exemple. Faites confiance au grand savoir de notre sommelier et dégustez un château-lascombes.

2. Épluchez les 2 échalotes, émincez-les finement et faites-les revenir dans une cocotte avec un peu de beurre. Ajoutez le bouquet garni, le poivre mignonnette et laissez revenir ensemble.

3. Mouillez la préparation précédente avec le reste de vin rouge et laissez réduire. Versez le cube de bouillon délayé dans 150 ml d'eau. Portez le tout à ébullition et laissez cuire pendant une quinzaine de minutes à feu doux.

4. Coupez les morceaux de moelle en rondelles et faites-les dégorger dans de l'eau glacée. Pochez l'ensemble dans de l'eau légèrement salée. Passez la préparation précédente au mixeur.

# confites et moelle

5. Récupérez les échalotes cuites en confiture. Versez le vin de cuisson dans la sauce précédente et montez soigneusement l'ensemble au beurre. Salez et poivrez légèrement si nécessaire.

6. Faites cuire les filets de bœuf. Salez et poivrez. Dressez-les sur le plat de service en les surmontant d'échalotes confites, d'une tranche de moelle, d'une pincée de gros sel et d'une branche de cerfeuil.

# Feuilleté de cailles

**Ingrédients :**
4 cailles
1 blanc de volaille
2 œufs
50 ml de crème fleurette
1 échalote
1 cube de fond de volaille
1 petite boîte
  de truffe au jus
400 g de pâte feuilletée
120 g de beurre
sel, poivre

1. Coupez le blanc de volaille, mixez-le, puis placez-le au congélateur 10 mn. Incorporez 1 œuf, salez légèrement, poivrez et mixez abondamment. Incorporez maintenant la crème fleurette, mixez de nouveau 1 mn environ et réservez la mousse de volaille.

**Pour 4 personnes**
**Temps de préparation :** 40 mn
**Temps de cuisson :** 35 mn
**Boisson conseillée :** côtes-du-rhône
**Difficulté :** ★★

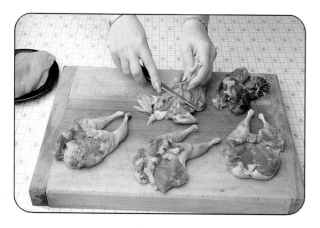

2. Désossez les cailles, à l'aide d'un petit couteau, retirez l'ensemble des os.

Les premières truffes, ces « poèmes gourmands vêtus de noir » n'apparaissent qu'au mois de décembre. Heureusement, les épiceries fines savent leur rendre hommage toute l'année en proposant leurs petites boîtes de truffe au jus qui nous permettent de retrouver le divin arôme et cette saveur sans égale. Brillat-Savarin, en parlant de la truffe, affirmait que « son parfum et le plaisir d'y toucher sont troublants et aphrodisiaques ».
Explorons donc ce rêve sombre de la haute gastronomie et préparons cet enchantement culinaire que sont les feuilletés de cailles. La pâte feuilletée est la meilleure, mais aussi la plus délicate à manipuler. Un rien la fait développer sa régularité ou ne pas monter du tout. Pour éviter ce genre d'ennuis, qui nous gâche souvent le plaisir du feuilleté, Georges Schmitt conseille de faire attention à température. Plus vous travaillerez la pâte au froid, meilleure sera sa stabilité. Donc, à vos réfrigérateurs ! Avant de la travailler, comme après, pour la réserver. Et vous verrez alors que vos feuilletés monteront sans problème ! Mais en cas d'échec, ne vous découragez surtout pas, un bon coup de main s'acquiert avec un peu d'expérience…
N'oubliez pas que pour réussir votre mousse, vous devez utiliser des ingrédients également très froids. C'est encore une condition impérative. Respectez aussi scrupuleusement l'ordre du mélange.
Accompagné d'une bonne salade de mâche, ce plat de grand style honorera vos invités de marque. Servez-leur un côtes-du-rhône.

3. Délayez le cube de fond dans 200 ml d'eau, hachez l'échalote, puis faites-la tomber au beurre. Versez le fond, puis le jus de truffe et laissez réduire l'ensemble à feu doux.

4. Dans une poêle, saisissez les cailles avec le reste du beurre, en les laissant cuire 2 mn de chaque côté. Salez et poivrez légèrement puis laissez-le refroidir.

# au jus de truffe

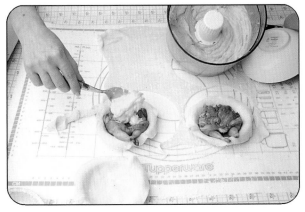

5. Étalez la pâte feuilletée (voir page 227), coupez 8 cercles, puis déposez-les dans des petits moules à tarte. Garnissez les fonds de tarte de cailles désossées, puis recouvrez d'1 cuil. de mousseline de volaille. Badigeonnez la surface des cercles d'œuf battu.

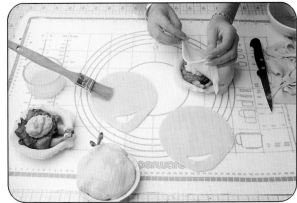

6. Faites une petite entaille pour laisser passer les pattes et recouvrez la préparation en pinçant la pâte feuilletée. Faites cuire au four 20 à 25 mn. Avant de servir, montez le jus de truffe réduit avec 50 g de beurre et servez en accompagnement. Décorez de rondelles de truffe. Servez très chaud.

# Filet et ris de veaux

### Ingrédients :

1 noix de ris de veau
  (de 400 g environ)
1 filet de veau
100 ml de vinaigre
100 g de beurre
30 g de farine
1 petit verre de câpres
  (dites capucines)
1/2 verre de vin blanc
150 ml de crème fraîche
sel, poivre

**Pour 4 personnes**
**Temps de préparation :** 30 mn
**Temps de cuisson :** 45 mn
**Dégorgeage :** 2h
**Boisson conseillée :** riesling
**Difficulté :** ★★

1. Faites dégorger les ris de veau. Nettoyez-les et faites-les cuire dans de l'eau salée et vinaigrée, 20 mn. Rafraîchissez-les et escalopez-les. Poêlez avec un peu de beurre le filet de veau coupé en 4. Salez et poivrez.

Filet et ris de veau s'en vont ici danser la capucine, mais pas avec les fleurs telles que vous les connaissez et que vous avez peut-être déjà accommodées en salade ou utilisées pour décorer vos plats. Non, les capucines de cette recette sont des boutons floraux ou des graines tendres, confites dans du vinaigre. Condiments, elles sont aussi un stimulant de l'appétit avec leur saveur aigrelette qui sait exciter les aliments naturellement un peu fades et alléger ceux qui seraient trop indigestes. Et pour mieux titiller la viande, notre chef vous conseille de choisir de préférence, la « petite » capucine.

Laissez bien dégorger les ris, 2 h à l'eau courante. Le vinaigre blanc est le gardien des couleurs. Il évite que les chairs ne rétrécissent ensuite à la cuisson. Les amateurs d'abats peuvent ajouter un rognon de veau, cuit rosé en cocotte, qu'il vous faudra découper en rouelles après cuisson.

Des courgettes fleurs, ou alors des pâtes fraîches, accompagneront délicieusement ce mets et, pour que la touche florale s'épanouisse sur votre plat, disposez quelques gracieuses fleurs de capucines qui, vous le savez, sont non seulement jolies à voir, mais comestibles.

Filet et ris de veau sont des morceaux délicats et tendres. Ainsi parés des attributs du printemps, ils fleuriront vos menus de fête.

Notre sommelier vous conseille un riesling du Pfersieberg Paul Ginglinger.

2. À mi-cuisson, ajoutez les ris de veau préalablement farinés. Dorez les deux faces. Dégraissez la poêle, puis déglacez avec le jus des câpres, versez le vin blanc, 50 ml de vinaigre et laissez réduire.

3. Dans une casserole, versez le reste de jus des câpres et laissez réduire. Incorporez la crème fraîche, salez légèrement, poivrez et laissez de nouveau réduire quelques instants.

4. Ajoutez les câpres à la préparation précédente et laissez mijoter.

# aux capucines

5. Montez la moitié de la cuisson de veau et ris de veau au beurre et réservez-la.

6. Incorporez à l'autre moitié la préparation de crème et câpres, montez au beurre. Rectifiez l'assaisonnement. Sur le plat de service, entourez les tournedos de veau avec les ris. Nappez les tournedos avec la première sauce brune et accompagnez les ris de veau de la sauce aux câpres. Servez très chaud.

# Pigeons au

**Ingrédients :**
2 pigeons de 400 g
1 homard de 750 g
1 oignon
2 échalotes
2 carottes
100 ml d'huile
100 ml de cognac
1 cube de fumet
  de poisson
thym, laurier
60 g de beurre
sel, poivre

**Pour 4 personnes**
**Temps de préparation :** 45 mn
**Temps de cuisson :** 50 mn
**Boisson conseillée :** savennières
clos-de-la-coulée-de-serrant
**Difficulté :** ★★

1. Séparez la tête de la queue du homard. Ôtez les pinces et coupez la tête en 2. Désossez les pigeons et réservez les carcasses.

Voilà une alliance peu commune pour ce plat qui dès l'abord s'annonce original et délicieusement surprenant. Un gros crustacé et un petit oiseau qui s'aiment d'amour tendre et savent comment s'y prendre, quand on est de l'air et quand on est de l'eau…

Pierre Sébilleau vous conseille de déployer toute votre délicatesse pour décortiquer les pattes et la queue du homard. Ici, point de brutalité, si vous ne voulez pas abîmer la douce chair. Pour les temps de cuisson, suivez très exactement les indications qui vous sont données, afin d'éviter le risque que les chairs ne se dessèchent.

Avec les rondelles de pigeon et de homard, amusez-vous à reconstituer une aile. Cela ne vous prendra pas beaucoup de votre temps et fera grande impression sur vos convives.

Vous pouvez, en variante, prendre des ris de veau, que vous devrez alors fariner, ou une autre volaille.

Cette recette, qui allie la mer, la terre et le ciel, c'est un peu l'âme de la Bretagne qui vient embaumer votre cuisine. Cuisiner, savourer les odeurs essentielles, déguster sont une agréable manière d'approcher la vie et l'histoire d'un terroir. Née dans la cité des peintres, elle porte en elle sa touche artistique. Offrez ce mets de choix aux appétits de qualité. Aux gens des arts et des lettres qui savent aussi manger.

Notre sommelier vous suggère un grand vin blanc aux arômes de petites fleurs blanches. Il sera l'arbitre parfait entre le pigeon et le homard : savennières clos-de-la-coulée-de-serrant.

2. Portez une casserole d'eau salée à ébullition et faites pocher la queue du homard. Épluchez l'oignon, les échalotes, les carottes et coupez l'ensemble en brunoise. Faites revenir la brunoise dans une marmite avec l'huile.

3. Ajoutez la carapace du homard concassé grossièrement, les os de pigeon et faites colorer l'ensemble.

4. Flambez la préparation précédente avec les 3/4 du cognac. Délayez le cube de fumet de poisson dans 1 l d'eau et versez. Ajoutez le thym et le laurier. Salez et poivrez. Laissez cuire 30 mn à feu doux.

# homard

5. Passez le fond de homard-pigeon au chinois et laissez réduire à feu doux.

6. Faites poêler les pigeons avec un peu d'huile et du beurre, salez et poivrez. Escalopez la queue de homard, ainsi que les suprêmes de pigeon et dressez-les en les intercalant. Dégraissez la poêle et déglacez-la avec le reste de cognac. Incorporez le fond (homard-pigeon). Montez au beurre. Nappez et servez très chaud.

# Cuissot de lapereau

**Ingrédients :**
2 cuisses de lapin
  avec le râble
1 oignon
1 carotte
thym, laurier
5 gousses d'ail
10 g de poivre
  mignonnette
1 l de vin rouge corsé
100 ml d'huile
1 cube de bouillon
  de volaille
70 g de beurre
2 cuil. à soupe de miel
50 ml de vinaigre
sel, poivre

**Pour 4 personnes**
**Temps de préparation :** 20 mn
**Temps de cuisson :** 30 mn
**Macération :** 24 h
**Boisson conseillée :** Cornas
**Difficulté : ★**

1. Désossez le lapin, conservez les cuisses et le râble, faites-les mariner avec l'oignon, la carotte, le thym, le laurier, le poivre mignonnette, le sel, arrosez du vin rouge. Laissez mariner au moins 24 heures.

Cette marinade est un véritable philtre magique, c'est elle qui va donner au lapin ce petit goût de gibier, imprévu et délicieux. Après la marinade, laissez bien égoutter le lapin : il est si imbibé de vin qu'il risquerait de bouillir au lieu de rissoler et de colorer joliment. Quand vous ajoutez le miel dans la cocotte dégraissée, grattez soigneusement les sucs collés sur les bords, ils assureront la force du goût de votre sauce.

Laissez légèrement caraméliser le miel, votre sauce sera bien brillante.

Un petit conseil du chef : si vous voulez que votre sauce soit impeccablement lisse, après l'avoir passée, filtrez-la à travers un torchon.

Ce plat peut être accompagné de pâtes fraîches ou d'un gateau de pommes de terre.

Un coq, une pintade, un filet de bœuf, cette recette aux tons chauds de l'automne, s'adaptera facilement à vos envies de variétés.

N'hésitez pas à faire confiance à l'art gastronomique, qui sait métamorphoser une viande quotidienne en un gibier rare et fort prisé.

Les marinades ont le privilège de déguiser royalement les viandes les plus sages. Alors, accompagnez ce lapereau chevreuil d'un grand Cornas des côtes du Rhône.

2. Dans une cocotte, faites revenir les os du lapin et la garniture de la marinade avec un peu d'huile, puis délayez le cube de bouillon de volaille dans 150 ml d'eau et versez-le sur les os de lapin. Mouillez avec le vin de la marinade. Laissez cuire afin d'obtenir un fond très corsé.

3. Dans une cocotte, faites cuire le râble de lapin, ainsi que les cuisses préalablement poivrées et salées avec un peu de beurre et d'huile.

4. En fin de cuisson, retirez les cuisses de lapin et le râble, dégraissez la cocotte, incorporez le miel et laissez légèrement caraméliser. Passer le fond de lapin au chinois et faites-le réduire légèrement.

# mariné en chevreuil

5. Versez le vinaigre et laissez l'acidité s'évaporer pendant 2 à 3 minutes.

6. Versez maintenant le fond de lapin, laissez cuire à feu doux 15 mn, passez-le au chinois et montez-le au beurre. Nappez le lapin de cette sauce. Servez chaud, accompagné de nouilles.

# Médaillons de veau

**Ingrédients :**
16 écrevisses
  à pattes rouges
1 filet de veau de 600 g
1 échalote
50 ml d'huile
1 cube de fond de veau
1 pincée de stigmates
  de safran
200 ml de noilly prat
2 courgettes
2 carottes
30 g de beurre
sel, poivre

**Pour 4 personnes**
**Temps de préparation :** 20 mn
**Temps de cuisson :** 25 mn
**Boisson conseillée :** puligny-montrachet
**Difficulté : ★★**

1. Faites pocher les écrevisses dans un court-bouillon traditionnel. Décortiquez la moitié des écrevisses et conservez les queues. Décortiquez les queues des autres écrevisses.

Ces médaillons moelleux sont un plaisir pour les yeux. Voilà une recette dont la beauté dépendra de votre dextérité. Mais, si vous suivez les conseils de Dominique Toulousy, vous n'aurez aucune difficulté pour atteindre la perfection.

Tout d'abord les écrevisses : évidemment, elles doivent être bien vivantes. Ainsi, vous serez sûre qu'elles sont parfaitement fraîches et vous pourrez leur enlever facilement le boyau central ; il vous suffira d'ôter, après l'avoir décortiquée, la partie médiane de la queue, vous la sentirez se détacher très aisément.

Avant de récupérer les sucs collés à la sauteuse, après cuisson du veau, il vous faut bien dégraisser : jetez toute la graisse de cuisson, votre sauce en sera plus légère et très goûteuse.

Vous pourrez réaliser cette recette avec n'importe quelle viande blanche de votre choix : poulet, dinde ou autre, ce qui vous promet de nombreuses variantes. Pour réussir la spirale de courgettes qui accentuera la beauté de votre plat, coupez celles-ci en tranches très fines, sans les détacher du bord. Ensuite, vous appuyez avec la paume de la main sur ce bord non incisé et les lamelles de courgettes se décollent les unes des autres.

Ce plat plaira, soyez-en certaine, aux gourmets comme aux esthètes, à ceux qui aiment que les plaisirs de la bouche soient précédés d'un régal pour les yeux.

Puisque, entre le veau et les écrevisses, c'est l'amour fou, un puligny-montrachet pourrait superbement jouer le rôle du grand témoin.

2. Nettoyez le filet de veau et taillez-le en médaillons. Épluchez et hachez finement l'échalote. Dans une poêle, faites cuire les médaillons de veau avec un peu d'huile. Dégraissez la poêle, puis faites revenir l'échalote.

3. Délayez le cube de fond de veau dans 100 ml d'eau, puis versez sur l'échalote. Laissez réduire à feu doux.

4. Incorporez le safran, le noilly prat et laissez cuire à feu doux. Passez la sauce au chinois et réservez-la.

# aux écrevisses et safran

5. Fendez les courgettes en deux, pochez-les légèrement, émincez-les à demi et faites également pocher les carottes préalablement tournées.

6. Montez la sauce safranée au beurre. Dressez les tournedos sur le plat de service, nappez-les de la sauce, accompagnés de petites écrevisses, de courgettes tournées en spirale et des carottes. Servez chaud.

# Pigeon

1. Épluchez et émincez une échalote. Dans une casserole, faites-la revenir légèrement dans une noisette de beurre. Incorporez une branche de thym et de laurier. Versez le vin rouge et laissez cuire à feu doux. Dans un plat, faites rôtir le pigeon en le conservant saignant. Réservez le foie.

2. Désossez le pigeon. Badigeonnez la cuisse de moutarde en vous aidant d'un pinceau et retirez la peau de l'aile. Puis saupoudrez la cuisse de chapelure.

**Ingrédients :**
1 pigeon
2 échalotes
70 g de beurre
thym, laurier
250 ml de vin rouge
huile
moutarde
chapelure
1 cube de fond de veau
2 carottes
1 branche de céleri
50 ml de cognac
1 gousse d'ail
1 branche de persil
6 oignons grelots
100 g de girolles
1 foie de volaille
sel, poivre

**Pour 1 Personne**
**Temps de préparation :** 35 mn
**Temps de cuisson :** 25 mn
**Boisson conseillée :** aloxe corton
**Difficulté : ★★**

La recette régionale authentique se fait traditionnellement avec du canard. L'originalité rouennaise consiste à distinguer les cuisses, qui sont panées, des suprêmes, c'est-à-dire des filets, qui eux ne le sont pas.

Gilles Tournadre a voulu donner sa chance au pigeon et vous allez voir que c'est une idée fort savoureuse.

N'oubliez pas de flamber le vin, c'est ce qui va lui enlever son acidité qui durcirait le goût de votre sauce.

Ne forcez pas trop sur les foies : il ne faut pas trop de sang dans la sauce.

Si vous voulez une chapelure bien blanche, composez-la vous-même avec de la mie de pain. Si vous la prenez toute faite, elle est déjà colorée.

Régalez-vous sans demi-mesure car, à cause de la sauce qui ne peut bouillir, ce plat ne peut se réchauffer.

Mais un pigeon par personne, vous verrez que ce n'est pas trop et que chacun va dévorer jusqu'à la dernière petite miette.

Écoutez notre sommelier, maître en la matière et servez un aloxe corton. L'élégance et le fruité de ce grand vin rouge de la côte de Beaune sont inimitables !

3. Une fois le vin rouge réduit de moitié, incorporez le cube de fond de veau délayé dans 200 ml d'eau. Laissez de nouveau cuire la sauce à feu doux. Faites revenir la carcasse de pigeon concassée dans le plat de cuisson.

4. Ajoutez les carottes, l'échalote et la branche de céleri coupés en dés. Versez le cognac et flambez. Ajoutez la gousse d'ail hachée et la branche de persil.

# rouennaise

5. Versez le fond, laissez cuire 15 mn environ et passez au chinois. Terminez la cuisson du pigeon 10 mn au four. Faites cuire les oignons. Faites revenir les girolles.

6. Dans le mixeur, déposez le foie de volaille avec celui du pigeon. Ajoutez le fond, émulsionnez l'ensemble et montez au beurre. Rectifiez l'assaisonnement. Dressez le pigeon sur le plat de service, nappez de la sauce et servez accompagné des oignons et des girolles.

# Pintade

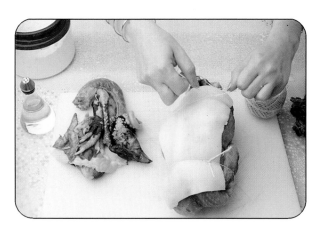

1. Videz et nettoyez la pintade. Salez et poivrez (l'intérieur et l'extérieur). Bardez-la et badigeonnez-la légèrement d'huile.

2. Épluchez et hachez finement les oignons, l'ail, le persil. Nettoyez correctement les foies de poulet et hachez-les, tout comme la tranche de jambon. Faites colorer la pintade dans une cocotte.

3. Dans une poêle, faites rissoler ce hachis avec 75 g de beurre à feu doux. Mettez ensuite la moitié du hachis dans la cocotte contenant la pintade. Ajoutez les 300 ml de vin blanc, les baies de genièvre, le bouquet garni, l'eau et laissez cuire 30 mn à four moyen.

**Ingrédients :**
1 belle pintade
1 barde de lard
1 cuil. à café d'huile
3 oignons
2 gousses d'ail
1 bouquet de persil
4 foies de poulet
1 belle tranche
  de jambon cru
100 g de beurre
300 ml de vin blanc sec
1 cuil. à soupe de baies
  de genièvre
1 bouquet garni
20 g de beurre manié
4 tranches de pain
  de campagne rassis
cerfeuil
sel, poivre

**Pour 4 personnes**
**Temps de préparation :** 45 mn
**Temps de cuisson :** 50 mn
**Boisson conseillée :** cahors ou madiran
**Difficulté : ★**

Pour que la pintade soit tendrement succulente, choisissez-la bien jeune. N'oubliez pas d'enlever la poche de fiel ou la partie verte qui se trouve sur les foies de volaille : son amertume risquerait de gâcher le goût de votre plat.

Lors de la cuisson de la farce, gardez les foies roses, pour qu'ils conservent tout leur moelleux.

La particularité de cette recette tient à l'emploi des baies de genièvre dont la saveur poivrée et légèrement résineuse apporte à votre sauce un arôme de choix. L'usage du genévrier remonte à la préhistoire… Nos lointains ancêtres avaient déjà découvert les propriétés antiseptiques de ses baies et les vertus de son bois brûlé, pour purifier l'air. Au Moyen Âge, le genévrier était considéré comme une panacée pour soigner les maux de tête, les maladies de reins et les troubles de la vessie. En Dauphiné, il est considéré comme un porte-bonheur, c'est pourquoi on brûle des rameaux dans le lit des jeunes mariés pour leur souhaiter belle félicitée. Ce plat rustique peut s'accompagner de pommes sautées.

Vous pouvez également réaliser cette recette avec du faisan, c'est excellent.

Après une bonne journée de plein air, à la fraîcheur de la tombée du jour, cette pintade campagnarde comblera d'aise les amateurs de soupers solides.

C'est le moment de sortir vos bouteilles de derrière les fagots. Notre sommelier vous conseille un madiran ou un cahors.

4. Retirez la pintade et réservez-la. Passez maintenant le hachis au chinois et pressez-le bien afin d'en extraire le jus.

# campagnarde

5. Liez le jus avec un beurre manié. Coupez la pintade en 4 morceaux.

6. Dans une poêle, faites revenir les tranches de pain de campagne, nappez-les du reste de hachis, déposez les morceaux de pintade sur les tranches de pain. Nappez de sauce et décorez de quelques feuilles de cerfeuil.

# Gigot mariné

1. Mettez le gigot dans un plat, arrosez-le de l'armagnac et de vinaigre de vin.

**Ingrédients :**
1 gigot de 1,8 kg
30 ml d'armagnac
1 verre à liqueur
  de vinaigre de vin
1 bouquet garni
4 échalotes
2 gousses d'ail
200 ml de gamay
200 ml d'huile d'olive
20 g de beurre
20 g de farine
sel, poivre

**Pour 6 personnes**
**Temps de préparation :** 20 mn
**Temps de cuisson :** 25 mn
**Boisson conseillée :** gamay de Savoie
**Difficulté : ★**

2. Ajoutez le bouquet garni, les échalotes émincées et l'ail. Salez, poivrez, versez le vin et l'huile d'olive. Laissez mariner 24 heures en le retournant de temps à autre.

Le gigot, vous le connaissez bien, c'est une pièce de choix que vous réservez peut-être à vos fêtes familiales ou à vos repas les plus fins. Mais saviez-vous que le gigot doit son nom à un ancien instrument de musique, la gigue, qui avait la même forme que la cuisse postérieure du mouton ou de l'agneau ?

Cette viande grasse est riche en protéines, en phospore et en vitamines B.

Pendant toute la durée de la marinade, n'oubliez pas de retourner plusieurs fois votre gigot : il en sera plus parfumé, tout imprégné, ce qui apportera une délicatesse nouvelle à la savoureuse tendreté de la viande. Ensuite, au cours de la cuisson, continuez à laisser agir les parfums en arrosant le gigot avec la marinade. Si vous le préférez, vous pouvez aussi obtenir une délicieuse variante en choisissant du bœuf à la place du mouton.

Servez ce plat chaud, accompagné d'une purée de céleri, c'est divin. Régalez-vous aussitôt car, si vous le réchauffiez, le gigot perdrait son moelleux.

Tout ici est facile. Jouez cette partition avec votre cœur et vous emmènerez vos invités dans des voluptés musicales gourmandes.

Notre sommelier vous suggère un gamay de Savoie. Mais si vous aimez les vins un peu plus virils, servez alors un morgon bien corsé.

3. Égouttez le gigot. Retirez l'ensemble des épices. Rectifiez l'assaisonnement, faites rôtir le gigot à four très chaud.

4. Une fois rôti, retirez le gigot et déglacez la plaque avec la marinade. Laissez réduire quelques minutes au four.

# au gamay

5. Une fois le jus cuit, liez avec du beurre manié. Mélangez le tout, puis passez la sauce au chinois.

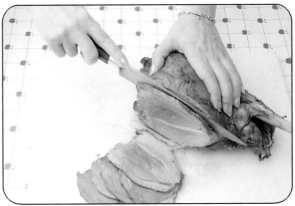

6. Coupez le gigot en tranches, la cuisson variera selon votre goût. Servez le gigot accompagné de la sauce.

# Sauté de veau

**Ingrédients :**

1,2 kg d'épaule de veau
  désossée
3 belles échalotes
4 citrons verts non traités
3 citrons jaunes non traités
50 g de beurre
2 cuil. à soupe de farine
750 ml de vin blanc sec
6 jaunes d'œufs
250 g de crème fraîche
sel, poivre

**Pour 6 personnes**
**Temps de préparation :** 35 mn
**Temps de cuisson :** 45 mn
**Boisson conseillée :** riesling
**Difficulté : ★**

1. Épluchez les échalotes et hachez-les finement. Coupez l'épaule en cubes de 5 cm de côté. Émincez finement le zeste de 2 citrons verts, puis pelez les 4 citrons verts à vif, émincez-les très finement et récupérez-en les quartiers.

Le citron vert, à la pulpe plus parfumée et plus juteuse que le citron jaune, va apporter à ce plat extrêmement simple à réaliser une gaieté acidulée, agréablement dépaysante, et le tonifiant de la vitamine C.

Surtout, jetez la graisse de cuisson de la viande, qui est indigeste.

Laissez bouillir votre sauce 10 mn avant d'ajouter la liaison crème-jaunes d'œufs et retirez la casserole du feu après un léger bouillon.

Le veau est la moins grasse des viandes. Il contient des protéines, et, plus qu'aucune autre, est riche en fer et en phosphore. Blanche, douce, légèrement fade, cette viande se marie délicatement à la saveur surette du citron vert.

Servez ce sauté accompagné de riz créole pour parfaire cette invitation culinaire à un voyage sous les tropiques.

Notre sommelier vous suggère un riesling. L'acide citrique du citron vert sera gommé et mis en valeur par ce grand vin blanc d'Alsace.

2. Dans une cocotte, faites revenir les morceaux d'épaule avec le beurre, sans toutefois laisser prendre une coloration. Salez et poivrez.

3. Jetez la graisse de cuisson et remettez les morceaux d'épaule de veau dans la cocotte. Saupoudrez l'ensemble de farine et laissez cuire 1 à 2 mn.

4. Pressez le jus des citrons, versez le tout sur les morceaux d'épaule, ainsi que le vin blanc, et laissez cuire à feu très doux pendant une trentaine de minutes.

# au citron vert

5. Clarifiez les œufs, salez, poivrez et incorporez-les aux 250 g de crème fraîche en fouettant énergiquement l'ensemble.

6. Incorporez la préparation au sauté de veau tout en remuant. Donnez un très léger bouillon. Servez bien chaud accompagné des zestes de citron, préalablement blanchis à 2 ou 3 reprises, ainsi que des quartiers de citron.

# Diodine de

1. Escalopez le foie gras et faites-le revenir dans une poêle après l'avoir salé, poivré et fariné. Désossez les pigeons et mettez le foie gras et la truffe à l'intérieur. Salez et poivrez. Réservez le foie des pigeons ainsi que 50 g de foie gras.

**Ingrédients :**
4 pigeons
200 g de foie gras d'oie
farine
2 truffes
300 g de crépinette
  de porc
2 cuil. à soupe de beurre
50 ml d'huile
1 cube de fond de veau
1 kg de fèves fraîches
800 g de pommes
  de terre
1 cuil. à café de fécule
  de pommes de terre
sel, poivre

**Pour 4 personnes**
**Temps de préparation :** 45 mn
**Temps de cuisson :** 35 mn
**Boisson conseillée :** volnay-champans
**Difficulté :** ★★

2. Reformez le pigeon et enveloppez-le dans la crépine. Salez et poivrez.

Pour cette recette régionale, Jean Vettard a choisi évidemment des pigeons de Bresse, à la qualité incomparable.

Vous avez remarqué que nous avons passé le foie gras dans la farine. C'est pour qu'il ne fonde pas trop à la cuisson.

Il faut démarrer la cuisson des pigeons sur la poitrine, qui doit prendre une belle coloration, car c'est ensuite le côté qui sera présenté sur le plat de service.

Le chef vous conseille une cuisson rosée, c'est celle que préfèrent les vrais amateurs.

La crépinette de porc évite à la chair de se dessécher.

Vous allez utiliser le foie gras restant pour agrémenter la sauce, à condition, évidemment, que des gourmands ne l'aient pas déjà dégusté.

Si votre sauce a refroidi avant que vous n'ayez dressé le plat, ne vous inquiétez pas, elle est délicieuse froide.

Cette recette peut également être réalisée avec des poussins ou des cailles.

Cette succulence est un peu longue à préparer, c'est son seul petit défaut. Mais c'est une pure merveille que vous allez offrir à vos invités. Un tel plaisir vaut bien un peu de patience.

Débouchez un volnay-champans : c'est le vin préféré des dames, ne l'oubliez pas !

3. Dans une cocotte, faites rôtir les pigeons avec un peu de beurre et d'huile. En fin de cuisson, incorporez le reste du foie gras. Laissez revenir.

4. Délayez le cube de fond de volaille dans 200 ml d'eau. Dégraissez la marmite, versez le fond et laissez réduire de moitié à feu doux.

# pigeon aux fèves

5. Faites pocher les fèves et enlevez la peau. Dans une poêle, faites sauter à cru les pommes de terre épluchées avec de l'huile et du beurre. Lorsqu'elles sont bien dorées, ajoutez les fèves, salez et poivrez.

6. Versez la sauce dans une casserole. Mixez-la afin d'émulsionner le foie, liez légèrement avec la fécule délayée dans 2 cuil. à soupe d'eau. Hachez la truffe puis incorporez-la à la sauce. Dressez les pigeons sur le plat de service Nappez de la sauce, accompagnez de la garniture et servez.

# Poularde de bresse

1. Flambez, videz et nettoyez correctement la volaille. Faites tremper la vessie dans de l'eau légèrement vinaigrée et lavez-la soigneusement avec un peu de gros sel. Mettez la truffe à l'intérieur de la volaille. Salez et poivrez.

2. Délayez le cube de fond de volaille dans 100 ml d'eau. Placez la volaille, préalablement bridée, dans la vessie. Rajoutez un peu de sel, de poivre, versez le jus de truffe, le cognac, le madère et 50 ml de fond de volaille.

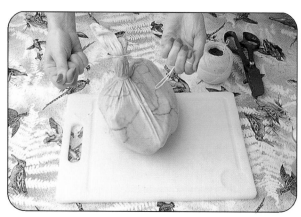

3. Ficelez la vessie en l'attachant à 2 reprises.

**Ingrédients :**
1 poulet de 1,4 kg
1 vessie de porc
vinaigre
gros sel
truffe
1 cube de fond de volaille
jus de truffe
30 ml de cognac
60 ml de madère
4 carottes
4 navets
4 pommes de terre
petits pois
1 poignée de haricots verts
sel, poivre

**Pour 4 personnes**
**Temps de préparation :** 10 mn
**Temps de cuisson :** 1 h 20
**Boisson conseillée :** moulin-à-vent
**Difficulté :** ★★

La « vraie » poularde, la jeune poule engraissée dans la pénombre, a presque disparu aujourd'hui. Mais certains éleveurs bressans en produisent encore dans la pure tradition. Vous allez découvrir ici un mode de cuisson à l'étouffée qui va donner à votre volaille un goût d'une subtilité étonnante. Les parfums mêlés de la truffe, du cognac, du madère et du bouillon, alliés aux sucs de la poularde vont composer une sauce aux saveurs incomparables. Cette cuisson originale fut mise au point par le père de notre chef, lors de l'Exposition universelle, en 1937.

Coupez les pattes de la poularde à l'articulation, pour garder la partie ronde de l'os. Et, pour les ailerons, veillez à enlever le petit ergot qui, en plus du petit os, forme la fin de l'aileron, et coincez-les bien sous les ailes que vous repliez soigneusement quand vous bridez la volaille. Avec toutes ces précautions, la vessie ne court plus aucun risque. Mais, pour plus de sécurité, prévoyez deux vessies.

La cuisson en vessie se fait en eau frémissante, pas de gros bouillon surtout, il faut ménager cet écrin de peau si précieux pour le résultat final. Cette recette peut être réalisée avec des vessies de veau ou de porc. Placez la poularde dans la vessie, le dos vers la fermeture, ceci pour ne pas risquer d'entamer les suprêmes. Lors de l'ouverture, il vous faudra d'abord vider l'air qui est dans la vessie en pressant avec vos mains.

Notre sommelier vous suggère d'arroser ce plat d'un moulin-à-vent : ce merveilleux cru du beaujolais est le compagnon favori de toutes les volailles.

4. Portez une marmite d'eau à ébullition, déposez la volaille. Piquez la vessie à l'aide d'une aiguille et laissez cuire 1 h à feu doux sans laisser prendre d'ébullition.

# en chemise

5. Nettoyez, épluchez et tournez les légumes.

6. Dans des casseroles d'eau salée, faites pocher l'ensemble des légumes. Déposez la poularde en vessie sur le plat de service et entourez-la des légumes. Sortez-la de la vessie. Récupérez le jus se trouvant à l'intérieur de la vessie et servez.

# Blanc de volaille de

1. Épluchez le potiron et coupez-le en fines lamelles, puis émincez-le. Réservez un morceau que vous taillerez en petites billes à l'aide d'une petite cuillère à pomme parisienne.

**Ingrédients :**
4 blancs de volaille
500 g de potiron
100 g de beurre
2 paquets de ravioles
1 l de fond blanc
sel, poivre

**Pour 4 personnes**
**Temps de préparation :** 20 mn
**Temps de cuisson :** 20 mn
**Boisson conseillée :** moulin-à-vent
**Difficulté :** ★★

2. Dans de l'eau légèrement salée, pochez les petites billes de potiron. Rafraîchissez-les, égouttez-les et réservez-les.

Le potiron appartient à la famille des courges. Il est rond et côtelé, aplati aux 2 pôles. Il en existe plusieurs variétés, certaines pouvant peser jusqu'à 100 kg. Sa pulpe, jaune ou orangée, très riche en eau et en potassium, est peu énergétique.

Vous en trouverez sur le marché d'octobre à décembre et vous pourrez 1e conserver, entier, tout l'hiver.

Le pâtisson, que l'on appelle aussi « artichaut de Jérusalem », peut également le remplacer.

Cette recette ne présente aucune difficulté. Pascal Vilaseca vous recommande de veiller à ne pas trop cuire la volaille. Pour lui garder son moelleux, vous la ferez pocher juste quelques minutes. Le blanc est la partie du poulet la plus digeste, pratiquement sans matière grasse.

Ce plat, servez-le chaud, immédiatement après la cuisson. Mais vous pouvez aussi, afin d'être disponible pour les amis que vous recevez, le préparer à l'avance et le réchauffer au moment de l'apéritif. Rustique et doré, il viendra ensoleiller votre quotidien d'hiver.

Notre sommelier vous conseille un moulin-à-vent, le plus complet des 10 crus du beaujolais : il devient un très grand vin quand on prend soin de le servir sur une belle volaille.

3. Dans une poêle, faites rissoler les lamelles de potiron avec du beurre. Salez, poivrez légèrement et réservez.

4. Portez le fond blanc à ébullition à feu doux et faites pocher les blancs de poulet pendant 10 mn.

# Barbezieux au potiron

5. Dans une marmite, portez à ébullition 2 l d'eau légèrement salée, puis faites cuire les ravioles et réservez-les.

6. Disposez sur le plat de service les blancs de poulet émincés, en les intercalant avec une lamelle de potiron et une raviole. Portez le fond blanc à ébullition afin qu'il réduise aux 3/4, puis faites-le monter au beurre. Nappez le plat de cette sauce et servez bien chaud.

# Bisque de homard

**Ingrédients :**
1 poireau, 2 carottes
1 branche de céleri
1 oignon, 2 gousses d'ail
1 homard de 400 g
2 tomates
50 ml d'huile
50 ml de cognac
500 ml de fumet de poisson
  ou un cube de fumet
  de poisson
1 cuil. à soupe de concentré
  de tomates
200 ml de vin blanc
sel, poivre en grains
1 bouquet garni
clous de girofle
1 cuil. à café de beurre
1 cuil. à café de farine
200 ml de crème fraîche

**Temps de préparation :** 30 mn
**Temps de cuisson :** 35 mn
**Difficulté :** ★★

1. Épluchez et taillez les légumes en cubes. Épépinez et concassez la tomate. Séparez la tête de la queue du homard. Coupez la tête en 2 et cassez les pinces. Faites vivement revenir l'ensemble du homard dans l'huile très chaude. Incorporez les légumes. Laissez bien revenir. Flambez avec le cognac, ajoutez la tomate concassée.

On désigne actuellement sous le nom de bisque une préparation culinaire servie sous forme de sauce onctueuse, très relevée, en guise de potage, essentiellement avec du homard ou tout autre crustacé.

La bisque de homard est un mets succulent de grande classe, réservé à un repas de fête, que vous ne manquerez pas de servir également lorsque vos invités ont la réputation d'être de fins gourmets.

Elle restera encore longtemps une vedette en tête de menu. Raison excellente pour la traiter avec infiniment de délicatesse.

Choisissez un homard vivant. Si ce n'est pas le cas, sa chair est molle et de qualité gastronomique inférieure.

La bisque de homard s'avère difficile à réaliser. Elle doit être subtilement relevée, surtout sans excès mais avec finesse. Vous signerez donc un plat qui fera de vous un super cordon-bleu. Langouste, écrevisses, étrilles peuvent être traitées de la même façon.

2. Portez le fumet de poisson à ébullition. Ajoutez le concentré de tomates, le vin blanc ; salez et poivrez. Ajoutez le bouquet garni et les clous de girofle. Versez le fumet sur la préparation précédente et recouvrez à hauteur avec de l'eau.

3. Après avoir laissé cuire 30 mn environ à feu doux, passez le jus au chinois, liez-le avec un peu de beurre manié (beurre + farine). Laissez mijoter quelques instants puis incorporez la crème. Laissez épaissir à feu doux, rectifiez l'assaisonnement et servez garni de médaillons de la chair du homard.

# Court-bouillon

**Ingrédients :**
2 carottes
1 poireau
1 branche de céleri
1 oignon
2 gousses d'ail
clous de girofle
1 échalote
1 bouquet garni
1 petite branche
  d'estragon
romarin
200 ml de vin blanc
sel, poivre en grains
1 homard

**Temps de préparation :** 15 mn
**Temps de cuisson :** 25 mn
**Difficulté :** ★

1. Épluchez, nettoyez soigneusement l'ensemble des légumes puis émincez-les. Déposez une marmite d'eau sur le feu. Incorporez l'ensemble de la garniture avec l'échalote piquée de clous de girofle. Ajoutez la branche d'estragon et une pointe de romarin.

2. Versez le vin blanc et portez à ébullition. Salez, poivrez et laissez cuire 10 mn environ à feu doux.

Le court-bouillon, vous le savez, bien sûr, est une décoction épicée et aromatisée servant surtout à la cuisson du poisson et des crustacés. Il peut également servir à cuisiner certaines viandes ou abats blancs. Il faut ajouter à l'eau les carottes, les oignons coupés en quartiers (vous pouvez piquer un ou deux quartiers de clous de girofle), un bouquet garni et du gros sel.

Le court-bouillon peut également être préparé avec du vin blanc. On peut aussi y ajouter le jus de 2 citrons ou 200 ml de vinaigre en fin de cuisson.

Le court-bouillon refroidi est versé dans un récipient dans lequel cuira le poisson.

3. Plongez le homard pendant 15 mn dans le court-bouillon. Égouttez-le. Il est prêt à être consommé.

# Pâte à gnocchi

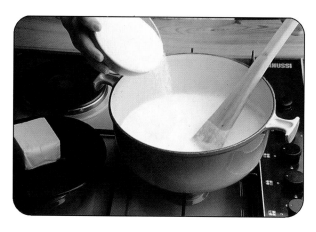

1. Versez le lait dans une marmite. Portez-le à ébullition. Versez la semoule de blé en pluie tout en remuant sans cesse. Laissez cuire à feu doux. Continuez de remuer avec une spatule en bois jusqu'à ce que la semoule soit bien cuite. Salez et incorporez le beurre. Remuez sans cesse.

**Ingrédients :**
1 l de lait
260 g de semoule de blé dur
1 pincée de sel
10 g de beurre
4 œufs

**Temps de préparation :** 5 mn
**Temps de cuisson :** 20 mn
**Difficulté :** ★★

2. Cassez les œufs un à un en continuant de travailler l'appareil à la spatule en bois. Laissez cuire légèrement et retirez du feu. Versez l'appareil dans une plaque préalablement beurrée ou tapissée d'une feuille de film alimentaire. Étalez la pâte sur une couche d'1,5 cm d'épaisseur.

Le gnocchi est un apprêt de base, fait de farine, de semoule, de pomme de terre ou de pâte à choux.

Façonnés en boulettes, les gnocchi sont généralement pochés, puis gratinés. C'est un mets d'origine italienne que l'on retrouve dans les cuisines austro-hongroise et alsacienne sous d'autres appellations.

Parmi les nombreux gnocchi, on distingue généralement les gnocchi 'à la romaine'dont nous vous donnons ici la recette.

Le lait doit bouillir lorsque vous incorporez la semoule de blé. Remuez constamment jusqu'à obtention d'une bouillie lisse et très épaisse. Les œufs ne sont ajoutés que lorsque la pâte est chaude.

Étalez la pâte sur une plaque mouillée en couche uniforme. Une fois la pâte complètement refroidie, détaillez-la en disques à l'emporte-pièce. Faites-les alors gratiner doucement.

3. Découpez les gnocchi avec un couteau ou un emporte-pièce et réservez-les. Déposez sur le feu une poêle contenant du beurre et faites poêler les gnocchi en les retournant de temps à autre. Donnez-leur une belle couleur dorée. Servez-les accompagnés d'une sauce tomate.

# Pâte feuilletée

**Pâte au beurre :**
900 g de beurre
300 g de farine

**Pâte à l'eau :**
1 kg de farine
35 g de sel
100 g de beurre

20 g de farine (pour tourner)
1 œuf (pour badigeonner)

**Temps de préparation :** 1 h 30
**Temps de cuisson :** 20 mn
**Difficulté :** ★★

1. Pour la pâte au beurre, mélangez 300 g de farine à 900 g de beurre. Réservez au réfrigérateur. Pour la pâte à l'eau, disposez en fontaine le kilo de farine. Au milieu, ajoutez le sel, 100 g de beurre, un peu d'eau. Commencez à pétrir en ajoutant l'eau afin d'obtenir une détrempe de consistance pâte à pain.

Une table avec un dessus en marbre est toujours préférable pour confectionner une pâte feuilletée. Surtout en été où il est important de travailler la pâte au frais.
Suivez les conseils qui vous sont donnés dans la recette et vous serez sûre de mener à bien la réalisation de la pâte feuilletée. Elle demande toutefois un certain doigté mais nous vous faisons confiance, vous y arriverez.
Vous devez faire le mélange vivement en pétrissant bien. La « détrempe » est terminée quand toute la farine est incorporée.
Avec une spatule en bois, raclez le marbre ou la table de travail pour réunir la pâte en une boule. Posez-la sur une assiette et incisez-la à l'aide d'un couteau pour que l'air pénètre et lui donne de l'élasticité. Réservez-la au froid.

2. Laissez reposer la détrempe 30 mn au frais. Aplatissez-la au rouleau. Déposez au milieu le bloc de beurre et farine. Rabattez au-dessus les 4 côtés de la pâte. Avec le rouleau, étendez-en une bande que vous plierez en trois : vous aurez alors donné 1 tour. Renouvelez l'opération à 2 tours.

3. Réservez 1 h au réfrigérateur. Recommencez l'opération pour obtenir 4 tours, puis 6 tours. La pâte feuilletée peut alors se prêter à la confection de vol-au-vent, chausson, palmier, etc.

# Sauce périgueux

**Ingrédients :**
2 échalotes
1/2 cuil. à café de beurre
1 truffe
50 ml de porto
50 ml de cognac
500 ml de jus de viande
100 ml de jus de truffe
80 g de foie gras

**Temps de préparation :** 15 mn
**Temps de cuisson :** 30 mn
**Difficulté :** ★★

1. Épluchez et hachez finement les échalotes, puis faites-les légèrement blondir dans une casserole contenant le beurre. Hachez finement la truffe. Versez le porto et le cognac sur les échalotes et laissez réduire de moitié.

2. Incorporez le jus de viande (fond) et le jus de truffe et laissez mijoter 20 mn environ sur feu très doux.

Le Périgord est traditionnellement un des hauts lieux de la truffe, et de la meilleure, noire, discrètement veinée de blanc. C'est donc tout naturellement que cette sauce, additionnée de truffes en petits dés ou hachées, a pris le nom de la capitale de cette région. Ce grand classique de la gastronomie, à réserver aux grands moments, est appelée aussi « à la périgourdine ».

Vous pouvez utiliser du madère, mais porto et cognac apporteront leurs goûts et leurs parfums et rajouteront à l'ivresse...

La « Sauce périgueux » se sert en principe à part, avec les pièces de boucherie, de volaille, de gibier, mais aussi, pensez-y, avec des œufs.

Savourez ce délice qui nappera vos plats de sa douceur onctueuse et de son beau prestige.

3. Passez la sauce précédente au chinois et incorporez la truffe hachée. Laissez infuser quelques minutes à feu doux. Au moment de servir, ajoutez le foie gras coupé en petits dés et une pointe de cognac. Laissez frémir quelques instants afin que le foie lie légèrement la sauce

# Sauce madère

**Ingrédients :**
2 échalotes
50 g de beurre
150 ml de madère
500 ml de fond de viande
sel, poivre

**Temps de préparation :** 5 mn
**Temps de cuisson :** 15 mn
**Difficulté :** ★

1. Épluchez et hachez finement les échalotes. Dans une casserole, faites-les blondir avec une noisette de beurre. Incorporez le madère et laissez-le réduire de moitié à feu doux.

Cette sauce délicieusement parfumée vous permettra d'accompagner tous vos plats de viande avec brio. Vos invités seront ravis de cette délicate attention et savoureront cette sauce aussi originale que goûteuse.

Voici une sauce facile à réaliser qui vous fera une réputation de grand cordon-bleu. Le secret de sa saveur réside dans l'association très réussie des épices, de la viande, du vin et du madère.

Véritable bouquet d'arômes au palais, vous aurez toujours grand plaisir à faire figurer sur votre table cette succulente sauce madère.

2. Versez les 500 ml de fond de viande sur la préparation précédente et laissez mijoter 15 mn à feu très doux. Passez la sauce au chinois.

3. Laissez de nouveau réduire la sauce quelques instants. Au moment de servir, montez-la avec quelques noisettes de beurre.

# Jus (ou fond) de viande

## Ingrédients :

300 g de parure de bœuf
300 g de parure de veau
2 carottes
50 ml d'huile
1 branche de céleri
2 oignons
3 gousses d'ail
2 tomates
1 cuil. à soupe de farine
clous de girofle
1 bouquet garni
1 cuil. à café
de concentré de tomates
sel, poivre

**Temps de préparation :** 20 mn
**Temps de cuisson :** 1 h 30
**Difficulté :** ★

1. Dans une cocotte, faites brunir les parures de viande avec de l'huile très chaude. Nettoyez, épluchez et coupez les légumes en cubes. Incorporez-les aux parures et laissez revenir. Épépinez les tomates et coupez-les en dés. Saupoudrez la préparation précédente de farine. Mélangez.

Le procédé le plus simple est de faire revenir vivement des parures de bœuf et de veau. Lorsqu'elles ont atteint une belle coloration, incorporez une garniture de légumes que vous laissez revenir. Dégraissez bien la préparation avant d'incorporer la tomate fraîche et le concentré de tomates et mouillez abondamment. Laissez mijoter cette préparation sur le coin du feu pendant 1 h 30 à 2 h. Passez au tamis fin, et vous obtenez un excellent jus de viande que vous pourrez lier avec un léger beurre manié si vous désirez faire une sauce Périgueux ou madère.

Vous pouvez également, une fois viande et garniture revenues et dégraissées, saupoudrer la préparation d'1 cuil. de farine. Vous obtiendrez un excellent fond de sauce.

Pour une sauce gibier, rajoutez 400 ml de vin rouge environ.

2. Incorporez la concassée de tomate. Salez, poivrez. Ajoutez les clous de girofle. Ajoutez le concentré de tomates. Mélangez bien et mouillez avec beaucoup d'eau en ajoutant le bouquet garni. Laissez cuire 1 h 30 environ à feu très doux.

3. Une fois cuit, passez le jus de viande au chinois. Laissez de nouveau réduire quelques instants et réservez.

# Jus de canard ou de pigeon

1. Désossez le canard ou flambez et videz les pigeons. Réservez la chair pour une terrine ou toute autre préparation. Désossez-les. Nettoyez les légumes et taillez-les en cubes. Dans une cocotte, faites brunir la carcasse de canard ou les os des pigeons avec l'huile bien chaude.

2. Ajoutez l'ensemble des légumes, le bouquet garni et les clous de girofle. Salez légèrement et poivrez. Incorporez la tomate coupée en morceaux. Mouillez avec le vin.

3. Délayez le cube de fond de volaille dans 1 l d'eau et versez-le dans la préparation précédente. Laissez cuire 40 mn à feu doux. Passez au chinois. Votre jus est prêt à l'utilisation.

**Ingrédients :**
1 canard ou 3 pigeons
1 branche de céleri
2 oignons
2 carottes
2 gousses d'ail
50 ml d'huile
1 bouquet garni
clous de girofle
sel, poivre
2 tomates
100 ml de vin blanc pour le canard ou 100 ml de vin rouge pour le pigeon
1 cube de fond de volaille

**Temps de préparation :** 20 mn
**Temps de cuisson :** 40 mn
**Difficulté : ★**

Traditionnellement, le jus de canard (ou de pigeon) s'obtenait après avoir fait revenir jusqu'à coloration la volaille. On ajoutait une mirepoix de légumes, on dégraissait alors le plat de cuisson puis on le déglaçait à l'eau. On ajoutait ensuite un bouquet garni, du sel, poivre et on laissait cuire doucement.

Aujourd'hui, magrets, filets et suprêmes ont détrôné les cuissons de volailles entières. Il vous faudra donc demander à votre boucher de bien vouloir vous réserver les parures et la carcasse du canard pour préparer votre jus.

Concassez la carcasse pour obtenir le maximum de parfum. Faites-la abondamment revenir dans un peu d'huile très chaude avec les parures.

# Jus (ou fond) de porc

**Ingrédients :**
300 g de parure de porc
50 ml d'huile
2 carottes
1 branche de céleri
2 oignons
1 bouquet garni
clous de girofle
1 tomate
2 gousses d'ail
100 ml de vin blanc
1 cube de fond
  de volaille
sel, poivre

**Temps de préparation :** 10 mn
**Temps de cuisson :** 40 mn
**Difficulté :** ★

1. Coupez les parures de porc en petits morceaux. Chauffez l'huile dans une cocotte et faites vivement revenir la viande. Nettoyez, épluchez l'ensemble de la garniture et coupez-la en dés. Dès que la parure de porc est bien revenue, ajoutez la garniture, le bouquet garni et les clous de girofle. Laissez revenir.

Le jus est ce qui correspond au « fond » pour la ménagère. Très goûteux et moins long à préparer, c'est un fond léger qui parfume délicieusement un plat. Traditionnellement, on faisait rôtir les pièces de viande entières. On ajoutait une brunoise, on dégraissait le plat de cuisson, on déglaçait à l'eau, puis on obtenait ainsi un jus après une cuisson d'une quinzaine de minutes.
Aujourd'hui, la cuisson des pièces entières est devenue moins courante. On cuisine davantage la viande parée et désossée. Ce sont donc les os et les parures de porc qui vont à présent servir à la préparation du jus. Le principe reste cependant le même.

2. Coupez la tomate en morceaux et ajoutez-la avec les gousses d'ail à la préparation précédente. Versez le vin blanc et délayez le cube de fond de volaille dans 1 l d'eau

3. Versez le cube de fond de volaille délayé dans la préparation précédente. Salez et poivrez, et laissez cuire 30 à 40 mn à feu doux

# Fond de volaille

### Ingrédients :
2 carottes
2 poireaux
1 branche de céleri
2 oignons
2 gousses d'ail
1 poule
sel, poivre en grains
1 bouquet garni
3 clous de girofle
250 ml de vin blanc

**Temps de préparation :** 15 mn
**Temps de cuisson :** 1 h 30
**Difficulté :** ★

1. Épluchez l'ensemble des légumes et taillez-les en dés. Flambez, videz et ficelez la poule. Faites-la blanchir dans une casserole d'eau. Déposez la garniture dans une marmite d'eau salée.

2. Déposez la poule dans la préparation précédente. Salez, poivrez et ajoutez les clous de girofle.

Le fond de volaille est, à proprement parler, une sorte de bouillon de volaille bien aromatisé que l'on prépare en faisant fortement réduire un bouillon de cuisson de poule. Il est utilisé pour rendre certaines sauces plus savoureuses. Tout l'art du fond réside dans la régulation de la température du liquide, au cours de la cuisson. En suivant attentivement la recette, vous serez grandement récompensée : vous obtiendrez un fond de volaille bien aromatisé par les ingrédients qui donnent un parfum extraordinaire à l'ensemble. Les fonds les plus riches et les plus savoureux s'obtiennent avec des poules et des coqs âgés. Si vous désirez que votre fond de volaille soit clair et digeste, écumez-le et dégraissez-le entièrement avant de vous en servir.

3. Versez le vin blanc et laissez cuire le bouillon de poule à feu doux pendant 1 h 30 environ. Avant utilisation, passez le bouillon au chinois.

# Fond blanc

**Ingrédients :**
500 g de parure de veau
2 poireaux
1 branche de céleri
2 oignons
2 carottes
1 échalote
4 clous de girofle
2 gousses d'ail
1 bouquet garni
sel
poivre en grains
200 ml de vin blanc

**Temps de préparation :** 15 mn
**Temps de cuisson :** 1 h
**Difficulté :** ★

1. Dans une marmite d'eau, faites blanchir la viande. Égouttez-la, rafraîchissez-la, puis réservez-la. Fendez les poireaux. Épluchez les oignons et les carottes et taillez-les en cubes. Plantez les clous de girofle dans l'échalote épluchée. Épluchez l'ail. Dans une marmite d'eau, plongez la garniture ainsi que le bouquet garni.

Un fond blanc se réalise avec de la volaille ou de la viande blanche (veau). S'il s'agit de volaille, dans un premier temps, il vous faut blanchir les abats dans une casserole, couvrir d'eau froide à hauteur, puis amener à ébullition tout en écumant fréquemment le bouillon ainsi obtenu.

Après cette opération, ajoutez la garniture de légumes et les condiments. Vérifiez qu'il y ait une légère ébullition pendant 45 mn. Retirez, à l'aide d'une petite louche, la graisse qui remonte à la surface. La limpidité et la clarté de votre fond dépendront de cette dernière opération. Puis passez votre fond au chinois.

Si vous n'en avez pas l'usage immédiat, vous pouvez conserver le fond blanc au congélateur après l'avoir versé froid dans des bocaux.

2. Ajoutez le veau. Salez. Versez le vin blanc, ajoutez le poivre en grains et laissez cuire à couvert sur feu doux pendant 40 mn environ.

3. En fin de cuisson, passez le fond au chinois. Dégraissez-le. Il est prêt à être utilisé.

# Les chefs

**Nicolas Albano**
Maître Cuisinier de France
Membre du Club Prosper Montagné

**Marc Bayon**
Maître Cuisinier de France
Membre de l'Académie Culinaire de France
Finaliste des Meilleurs Ouvriers de France

**Jean-Pierre Billoux**

**Luce Bodinaud**

**Jean-Claude Bon**
Maître Cuisinier de France
Membre des Jeunes Restaurateurs d'Europe

**Jean Bordier**
Meilleur Ouvrier de France 1979
Maître Cuisinier de France
Membre de l'Académie Culinaire de France
Jury du Prix International P. Taittinger

**Jean-Paul Borgeot**
Membre des Toques Blanches Lyonnaises
Membre des Jeunes Restaurateurs d'Europe

**Hubert Boudey**

**Maurice Brazier**
Chef des Cuisines
Président National des Toques Blanches
Maître Cuisinier de France
Membre de l'Académie Culinaire de France
Officier du Mérite Agricole

**Jacques Cagna**
Maître Cuisinier de France
Membre de la Chambre Syndicale de la Haute
Cuisine Française
Officier du Mérite Agricole

**Claude Calas**
Vice-Président des Maîtres-Artisans
Maître Artisan Cuisinier
Maître Grillardin Rôtisseur

**Jacques Chibois**
Chef des Cuisines
Membre de la Chambre Syndicale de la
Haute Cuisine Française

**Marc Daniel**
Chef de Cuisine

**Alain Darc**

**Ginette Delaive**
Commandeur des Cordon-Bleus de France
Vice-Présidente de l'Association des
Restauratrices Cuisinières

**Joseph Delphin**
Maître Cuisinier de France
Membre de l'Académie Culinaire de France
Membre des » Charmes et Saveurs de France «

**Francis Dulucq**
Maître Cuisinier de France
Membre de la Communauté Européenne des
M.C.F.
Membre de l'Académie Culinaire de France

**Daniel Dumesnil**
Chevalier du Mérite Agricole
Membre de l'Académie Culinaire de France
Chef de Cuisine

**Sylvain Duparc**
Chef des Cuisines

**Maurice Dupuy**

**Robert Dupuy**
Membre de l'Académie de France
Diplôme de la Poêle d'Or 1974 – 1976

**Roland Durand**
Meilleur Ouvrier de France
Maître Cuisinier de France

**Odile Engel**

**Gilles Etéocle**
Maître Cuisinier de France
Meilleur Ouvrier de France 1982

**Jean-François Ferrié**

**Charles Floccia**
Diplôme de Maîtrise du Club Prosper Montagné
Grand Prix du Dessert du Cedus 1972

**Denis Franc**

**Jean-Maurice Gaudry**
Maître Cuisinier de France
Membre des Jeunes Restaurateurs d'Europe

**Roland Gauthier**
Membre des Jeunes Restaurateurs d'Europe

**Jany Gleize**
Maître Cuisinier de France

**Philippe Godard**
Maître Cuisinier de France
Membre des Jeunes Restaurateurs d'Europe

**Lionel Goyard**
Chef de Cuisine

**Bernard Hémery**

**Serge de La Rochelle**

**Jean-Pierre Lallement**
Maître Cuisinier de France
Membre des Jeunes Restaurateurs d'Europe

**Jean-Michel Lebon**

**Jean Lenoir**
Maître Cuisinier de France
Finaliste Meilleur Ouvrier de France 1954 – 1961

**Jean-Claude Linget**

**Bernard Mariller**
Chef de Cuisine
Membre de l'Amicale des Anciens de chez
Troisgros

**Manuel Martinez**
Chef de Cuisine
Meilleur Ouvrier de France 1986
Maître Cuisinier de France

**Paul-Louis Meissonnier**
Maître Cuisinier de France

**Christian Métreau**
Chef de Cuisine

**Daniel Nachon**
Chevallier de l'Ordre du Mérite

**Jean-Louis Niqueux**
Chef de Cuisine

**Alain Nonnet**
Chef de Cuisine
Maître Cuisinier de France
Finaliste Meilleur Ouvrier de France 1976

**Angelo Orilieri**
Membre de l'Académie Culinaire de France
Chevalier du Mérite Agricole

**Claude Patry**
Chef de Cuisine

**Christian Ravinel**
Chef de Cuisine

**Michel Robert**
Chef des Cuisines

**Armand Roth**
Chef de Cuisine

**Roger Roucou**
Président d'Honneur des Maîtres
Cuisiniers de France

**Gérard Royant**
Maître Cuisinier de France
Membre de l'Académie Culinaire de France

**Georges-Victor Schmitt**
Chevalier du Mérite Agricole
Membre du Club Prosper Montagné

**Pierre Sébilleau**
Chef de Cuisine

**Dominique Toulousy**
Maître Cuisinier de France
Membre des Jeunes Restaurateurs d'Europe
1er Prix National Mandarine Impériale 1982

**Gilles Tournadre**

**Jean Truillot**
Chef de Cuisine

**Jean Vettard**
Maître Cuisinier de France

**Pascal Vilaseca**
Chef de Cuisine
Premier Mondial du Grand Prix
Mandarine Napoléon Bruxelles 86
Mention d'Honneur au Prix Taittinger 86

# Index